DOIS MUNDOS, UM HERÓI

REZENDEEVIL

SUMA
de letras

Copyright © 2015 by Pedro Afonso

Publicado mediante acordo com IN#UENCERS

Este livro é um produto não oficial de Minecraft ®/TM & © 2009-2013
Mojang/ Notch

*Grafia atualizada segundo o Acordo Ortográfico da Língua Portuguesa
de 1990, que entrou em vigor no Brasil em 2009.*

DESIGN DE CAPA
Tamires Cordeiro

ILUSTRAÇÃO DE CAPA
Marcus Penna

FOTO DE CAPA
Marlos Bakker

EDIÇÃO
Beatriz D'Oliveira

PREPARAÇÃO
Tatiana Contreiras
Pedro Giglio

REVISÃO
Carol Vaz
Pedro Staite
Sheila Louzada

CIP-Brasil. Catalogação na fonte
Sindicato Nacional dos Editores de Livros, RJ

R356d
    RezendeEvil (Pedro Afonso Rezende)
        Dois mundos, um herói: Uma aventura não
    oficial de Minecraft/ RezendeEvil. – 1ª ed. – Rio de
    Janeiro: Objetiva, 2015.
        142p.

      ISBN 978-85-8105-312-7

        1. Aventura – Ficção brasileira. 2. Ficção
    brasileira. I. Título.

15-26995
                  CDD: 869.93
                  CDU:821.134.3(81)-3

8ª reimpressão

[2016]
Todos os direitos desta edição reservados à
EDITORA SCHWARCZ S.A.
Praça Floriano, 19 — Sala 3001
20031-050 — Rio de Janeiro — RJ
Telefone: (21) 3993-7510
www.objetiva.com.br

Para meu pai, meu herói da vida real.

CAPÍTULO 1

"Mas o que eu vou dizer nesse evento? Eu gosto mesmo é de jogar!"

Passei a semana inteira com essa pergunta na cabeça. Só que, a caminho da Superultramegablaster Expogames Londrina, ao lado do meu irmão, João, ela martelava cada vez mais forte.

— Tá nervoso, Pedro? Relaxa, só vai ter gente legal lá! É na nossa cidade, todo mundo se amarra nos seus vídeos, é só chegar e começar a falar — diz ele, tentando me animar.

Na verdade, essa vida de youtuber famoso ainda é novidade para mim, mas ser convidado para um evento desse porte é a oportunidade perfeita de mostrar aos meus pais e amigos que largar o futebol e apostar tudo nos vídeos foi uma boa. E jogar no computador é o que eu mais gosto de fazer. Sabe o que parece? Que estou entrando em outra dimensão. É muito louco, cara! A maior viagem. Então, por que não participar da Expo e trocar uma ideia com a galera inscrita no meu canal?

— Tem razão, João. Até que você é esperto, pra um pirralho — respondo, tirando uma com a cara dele.

Crachá no pescoço, é hora de entrar. Jesus! Nunca vi um evento tão cheio. Estandes lotados, todo mundo na maior adrenalina, encarando altas filas para jogar quinze minutinhos dos games mais irados. Mas eu não podia imaginar o que me aguardava: no auditório onde vai rolar o bate-papo, tem gente sentada até no chão. No chão! Faltou cadeira.

No palco, acabo me acalmando. Fixo o olhar no João, que está em pé, gravando tudo bem na meiuca, e dá certo. Quer dizer, tudo está dando certo. Até que… Caramba, quem é aquele cara sinistro ali do lado? Sabe um tiozão meio mistura de Gandalf com Dumbledore? Então, ele é igualzinho, só que muito feio.

— Rezende? O Daniel, de Porto Alegre, está esperando a sua resposta. Quer uma água? Ou um achocolatado? — O apresentador me traz de volta à realidade rapidinho. Sinto um calafrio, arregaço as mangas do casaco, e não dá outra: fico todo arrepiado. Cara! Que isso! Mas eu não posso dar mole e virar motivo de piada.

— Foi mal, Daniel! Pode repetir? É que quando eu estou num lugar grande assim, começo a pensar em quantos blocos precisaria ter para construir um espaço igual no jogo, sacou?

"Ufa, essa foi no improviso", penso.

O Gandalf Toscão da Grifinória continua me encarando. E, quanto mais ele me olha, mais frio eu sinto. Volto a fixar o olhar no João e começo a relaxar. Não posso surtar no palco, não é? Só que, neste exato instante, depois de duas horas de bate-papo, o apresentador avisa: só temos tempo para uma última pergunta.

— Quem tem uma pergunta diferente para o Rezende? A hora é agora!

Adivinha quem levanta a mão? O velho, claro! Ai, meu Jesus Cristinho, o que esse velho sinistro quer comigo? Tenho uma ideia: vou despistar.

— Olha, aquela lourinha de azul ali na direita levantou a mão. — Aponto.

Só que, enquanto falo isso, o apresentador olha para o lado... esquerdo. E escolhe outra pessoa.

— Passa o microfone para o vovô ali do fundo, pessoal! Vamos dar voz a quem tem experiência, não é, Rezende? Afinal, tem muitos pais, tios e avós que jogam com os mais novos!

Sabe aquela voz que parece sair das profundezas? Aquela voz meio Exterminador do Futuro, mas como se o Schwarzenegger tivesse uns cento e cinquenta anos? Era a voz do velho. O cara é tão rouco que, apesar de eu estar apavorado, quase ofereço a ele uma pastilha, um xarope, uma água...

— Rezeeeeeendeeeee — chama o velho.

— Pois não, senhor — respondo, tentando disfarçar o pânico. Olho para as unhas, roxas de frio.

— Rezeeeeeendeeeee, você acredita em universos paralelos? — manda o velho, na lata.

— Poxa, seu Gandalf, o senhor não tem uma pergunta mais fácil? Melhor, não tem aí uma bola de cristal para prever o futuro? — respondo, sem pensar demais.

Todo mundo começa a rir. Prontinho, escapei dessa! Será?

— Rezeeeeeendeeeee... Rezeeeeeendeeeee, você acredita em universos paralelos? — repete o velho, com a voz ainda mais cavernosa. Caramba, ele precisa mesmo de uma pastilha para a garganta!

— E aí, Rezende? Sim ou não? — questiona o apresentador já se metendo para encerrar de vez a questão.

É aí que eu me lembro do meu pai. Ele é professor de cursinho pré-vestibular e sempre me disse que precisamos responder a todas as perguntas, mesmo quando não sabemos a resposta.

— Olha, seu Gandalf, acreditar, eu acredito, mas nunca vi um universo paralelo sem ser num game. O senhor tem um aí no bolso para mostrar?

Todo mundo cai na gargalhada de novo, maravilha! Agora é só descer do palco, tirar umas fotos com a galera, e está tudo no papo. Opa... Ainda não tiraram o microfone do Voz Profunda?

— Rezeeeeeendeeeee... Você acreditaria se alguém dissesse que existem universos paralelos e que neles alguns poucos mortais têm versões equivalentes?

Antes de eu abrir a boca para responder qualquer coisa, o Dumbledore de Londrina continua, sem mudar o tom de voz:

— Rezeeeeeendeeeee... Você é inteligente o bastante para acreditar num universo parecido com o do jogo dos seus vídeos, onde tudo que você cria no computador é real? Ou prefere viver na ignorância?

E agora? Como eu saio desta? Melhor levar na zoação, assim ninguém percebe que eu fiquei surtado com esse cara! Será que ele sabe onde eu moro?

— Mas é claro, seu Gandalf! Se eu não acreditasse, não estaria aqui! Na verdade, eu vim desse universo aí que o senhor mencionou. É ou não é, galera? Eu sou o RezendeEvil, primeiro e único!

Noto pelo canto do olho que o apresentador está pedindo para tirarem o microfone do vovô. Mas ele não solta o troço de jeito nenhum!

"Lá vem mais bomba", penso.

— Me salva — peço ao meu irmão, torcendo para ele ser bom em leitura labial. Mas ele é ruim pra caramba e não entende nada! Ô, desgraça! O povo ainda ri quando o personagem de *O Senhor dos Anéis* se agarra ao microfone e diz suas últimas palavras:

— Rezeeeeeendeeeee... E se você fosse convocado para ir a esse universo? Você honraria sua palavra e iria até as últimas consequências?

Agora até o apresentador fica nervoso. Nem preciso responder: ele já vai logo encerrando o evento, convocando a turma para o próximo painel, sorteando brindes e pedindo para todo mundo se organizar na fila. E o Gandalf? Quando procuro por ele antes de descer do palco, não o encontro mais. Só enxergo uma luz. O cara se escafedeu, evaporou, sumiu no ar. Ou quem sabe voltou para esse tal universo.

Mais de duas horas e quatro achocolatados depois (falar demais dá fome, viu?), finalmente consigo sair do evento. Quero ir a pé para casa, mas até o João fica preocupado: e se o velho for um doido e estiver esperando a gente na saída? E se quiser me sequestrar e me levar sei lá para onde? Tá doido! Melhor não arriscar...

Resolvemos pegar um táxi, e não dá outra: na esquina seguinte, vemos o Gandalf Toscão recostado num muro. Os vidros do carro são escuros, mas sabe a visão além do alcance? Enquanto passamos, ele levanta os óculos, como se nos enxergasse. Desvio o olhar, e, quando resolvo espiar através da janela traseira do táxi, o homem já não está mais lá. Vejo apenas um clarão bem forte, apesar de já ser noite — só pode ser resultado da mistura de adrenalina, cansaço e achocolatado.

Como demoramos mais do que o normal, nossos pais já estão dormindo quando chegamos em casa, e não quero acordar os coitados. Quando estou sem sono ou sem vontade de fazer nada, o que eu faço? Acertou quem disse que eu jogo! Então pego um achocolatado na geladeira e sigo para minha sala de games, a antiga biblioteca do meu pai, onde costumo jogar e gravar os vídeos.

Sinto um calafrio e resolvo fechar a janela... Mas, quando olho para fora vejo o velhote de novo, recostado no muro. Deus do céu! Só pode ser perseguição!

Saio correndo para o quarto do João. Será que devemos chamar a polícia ou acordar nossos pais?

— Cadê ele? Estou olhando aqui pela persiana, mas não estou vendo ninguém! Acho que você bebeu achocolatado demais. Está afetando seu cérebro! — afirma meu irmão.

Cara! Como pode isso? Uma hora o velho está lá, na outra não está! Fico pensando: "Será que eu tenho superpoderes de visão paranormal? Mas todo mundo viu o homem no evento. Será que todo mundo naquele auditório tinha visão paranormal?"

Ao contrário do que muita gente diz, eu acho que jogar antes de dormir é relaxante. Pego o teclado e o mouse sem fio e me estico no sofá — atrás dele há um pôster enorme do jogo, colado na parede. É o meu preferido, porque mostra todos os mundos que eu criei. Depois de um tempo, acabo tirando um cochilo. Ah, que atire a primeira pedra quem nunca cochilou no sofá e acabou babando no teclado. Acordo de madrugada, com o monitor ligado e uma luz diferente. Parece que algumas letras estão se formando na tela. Pixel a pixel, elas se juntam enquanto eu esfrego os olhos: VOCÊ ACREDITA?

Tenho a sensação de que aquilo não passa de um sonho, então fecho os olhos de novo. De repente, levanto num pulo, porque surge uma luz bem forte vinda do monitor, da janela, do corredor, de todos os lados! Não consigo enxergar nada além da luz. Será que transferiram o réveillon de Copacabana para Londrina e ninguém me avisou? Que ano é este? Mano, a luz está ficando mais forte! Cada vez mais! E este barulho... De onde vem? Quem ligou essas britadeiras? Não enxergo nada! Melhor fechar os olhos! O Sol desabou na Terra! Será que eu estou ficando cego?

Epa. Peraí. Acho que já dá para abrir os olhos. A luz está diminuindo. Vou abrir. Preciso ir ao quarto do João e ao dos meus pais para ver se estão bem.

Não. Não pode ser. Eu estou preso? Por que o Sol está nascendo quadrado?

Caramba! Tudo parece... quadrado!

CAPÍTULO 2

Olho ao redor outra vez para ver se não estou ficando doido.

Claro que eu já ouvi falar na expressão "ver o Sol nascer quadrado" quando alguém vai para a cadeia... Mas ver o Sol quadrado *de verdade*? Tem alguma coisa muito, muito esquisita acontecendo. Será que os achocolatados que tomei antes de deitar estavam estragados e isso tudo não passa de uma alucinação?

Levanto devagar, meio tonto, e percebo que a luz do dia que entra pela janela ilumina a porta do que parece ser um quartinho bem pequeno. Não, eu não estou mais na minha sala de games. Não faço ideia de que lugar é este! Bom, acho que o jeito é sair daqui e ver o que está pegando. Quando estico a mão para abrir a porta, percebo que...

— O QUE DIABO É ISSO?

Minha mão sumiu! Meu braço está retangular, quadradão mesmo! Ainda assim, é só eu encostar na maçaneta que a porta abre... E finalmente percebo que estou em um mundo de videogame! Isso mesmo: sabe os programas que eu subo no meu canal do YouTube? I-GUAL-ZI-NHO.

Esse visual quadriculado e pixelado... hmm, eu conheço muito bem — mas até hoje só vi isso no monitor. Penso em levar as mãos ao rosto para ver se eu estou com óculos de realidade virtual... Mas aí lembro que não, que não tenho um óculos desses. Quem sabe um dia, não é?

"Peraí, Rezende. Foco!", penso.

Vamos voltar um pouquinho e repensar o que aconteceu. Evento de games. Bate-papo com os fãs. Velho misterioso me azucrinando com uma conversa bizarra sobre "universos paralelos".

Será que era disso que o velhote estava falando? Vixe... Sabe a frase "cuidado com o que deseja, porque pode virar realidade"? Parece que a minha vez chegou.

Bem, se é isso mesmo, uma vantagem eu tenho: este jogo aqui eu conheço de trás para a frente, de cima a baixo, como a palma da minha mão (que, pelo visto, não existe por aqui) e qualquer outra frase que confirme que eu *manjo dos paranauê*. Modéstia à parte... Já passei muito tempo jogando isso no computador, agora é hora de ver como eu me saio "vivendo".

Toda jornada começa com o primeiro passo, então vamos lá. Hora de caminh-PLOFT. Dou de cara no chão! Será que eu tropecei em alguma coisa? Olho para o chão, mas não vejo pedra, tronco, nada. Olho para os pés e... Isso mesmo: meus pés também estão quadrados. Beleza, acho que aprendo rápido.

Andando com bastante cuidado, pego depressa o jeito da coisa, e logo não pareço mais um canguru de salto alto. Agora, só tem um jeito de confirmar se este é realmente o mundo que eu conheço: explorando! Perto do laguinho, onde não dá para ver o próprio reflexo (esse efeito não existe no jogo!), tem uma árvore com algumas frutas.

Eu me aproximo, uso o braço para bater algumas vezes no tronco e... SUCESSO! Uma peça de madeira para a minha coleção! Ou deveria dizer "inventário"? Enfim: que seja a primeira de muitas!

Pelo menos é exatamente o jogo que eu imaginava, então estou no lucro! Hora de juntar mais pedaços de madeira e criar uma espadinha. Ah, que saudade de quando eu precisava ver como fazer isso nos tutoriais na internet e trocava ideia com meus amigos no fórum! Se eu contasse onde estou agora, eles nunca acreditariam!

Bem, acho que entendi o que aconteceu, por mais incrível que pareça... Afinal de contas, não é todo dia que você entra no seu jogo favorito, não é? Ouço um ronco e penso que é um bicho, mas não, é só o meu estômago. Então lembro que eu não tomei café da manhã, e aí já viu: bate aquela fome de leão.

Escalo a árvore e pego algumas frutinhas para comer. Dá para quebrar um galho, mas já percebo que vou ter que usar minhas habilidades de caçador. Para isso, vou precisar de mais armas e ferramentas. Esse jogo funciona assim: quando se quer alguma coisa, é necessário botar a mão na massa e construir.

Enfim, vamos pensar no que eu preciso juntar. Acho que, pra começo de conversa, seria legal arranjar uma picareta, uma espada e algumas tochas. O jeito é começar a caçar os materiais! Está cedo, nem deve ser meio-dia ainda. Dá tempo e sobra de fazer muita coisa neste admirável mundo novo que eu conheço tão bem...

Passo a manhã caminhando pelas redondezas da casinha onde eu acordei, a mesma casinha que logo desmontei a fim de juntar material para construir uma maior. Em uma colina ali perto, consigo juntar pedra suficiente para improvisar um pequeno fogão... que planejo estrear em breve!

Do outro lado do laguinho vejo uma vara de porcos — sabia que o coletivo de "porco" é "vara"? Pois é, olha aí! Rezende é cultura, cultura prestes a virar almoço! Depois de tomar vários dribles dos porquinhos (ô bicho danado pra correr!), eles conhecem a fúria da minha incrível espadinha de madeira e rapidamente viram fatias de carne. É só bater nos bichos que eles aparecem fatiados, que nem presunto no supermercado. Ah, videogames... Nunca mudem!

Finalmente testo meu fogãozinho, e as fatias de carne de porco viram fatias *assadas* de carne de porco. Para minha primeira refeição, até que comecei muito bem! Talvez até bem demais, porque acho que me empolguei com o espírito de caçador que eu nem sabia que tinha e enchi a barriga.

Nossa... com toda essa correria de desmontar casa, montar ferramentas, subir em árvore, construir fogão de pedra, tomar olé dos porcos e almoçar, acho que não vai dar treta tirar uma soneca rápida antes de retomar as atividades e tentar descobrir como eu vim parar aqui, não é? Eu fiz por onde, mereço. Hora de achar uma sombra e dormir por uns quinze minutinhos.

Deito na sombra sob a árvore e tento relaxar um pouco. Só que, quase pegando no sono, percebo que o Sol andou mais rápido que o normal no céu azul.

— Dã! Como você não pensou nisso, Rezende? O tempo passa mais depressa no jogo! — concluo na hora.

Pelo menos isso tem um lado bom: o pouquíssimo tempo que fiquei deitado faz eu me sentir totalmente descansado, como se eu tivesse tirado umas duas horas de sono, só que em cinco minutos! Nada mau. Ah, se eu pudesse descansar rápido assim no mundo real, teria mais tempo para jogar...

Epa, peraí: isso também quer dizer que vai anoitecer daqui a pouco, então preciso de um lugar seguro para juntar as peças deste quebra-cabeça. Ainda bem que eu já juntei um bocado de material — e que não preciso comprar cimento, massa, tinta, nada disso. Só preciso misturar os ingredientes na disposição certa, e vou ter tijolo, porta, janela, tudo!

Minutos depois, construo a casa em volta do fogãozinho onde minha saga digital começou. Mesa de jantar e duas cadeiras? Confere. Armário para guardar minhas coisas? Feito. Tochas para iluminar o ambiente de noite? Claro! Faço até uma cama mais macia do que o chão duro — e, por mais que não pareça no monitor, não é que o colchão mais quadrado do que um tijolo é bem aconchegante?

Deito na cama e começo a refletir sobre a vida.

"Quem diria, Rezende... Você passou um tempão se divertindo com este jogo, e, de repente, bum: acabou de passar um dia inteiro dentro dele. Não com o teclado e o mouse, em frente ao monitor, mas *dentro do jogo*. Parece um sonho que virou realidade! E, mesmo se eu acordar amanhã e nada disso tiver acontecido, pelo menos a experiência vai ter sido incrível! Vai dar até para fazer uma série nova de vídeos para o canal!"

Em meio a esses pensamentos, o sono começa a bater... tão forte que chega a quebrar a janela do quarto.

Peraí: como é que é?

Tem alguém do lado de fora da minha casa!

Levanto no maior susto e vejo um braço entrando pela janela da sala. É meio esverdeado, cinzento... E aí caio na real: não fiz a casa só pelo conforto, mas também pela segurança contra as ameaças da noite — que desta vez são zumbis! Pego a espada de madeira e acerto no braço até cair, então o zumbi também cai.

Boa notícia: esse zumbi não vai me incomodar de novo tão cedo.

Má notícia: olho pela janela e, sob o luar, vejo que ele está acompanhado de um monte de outros zumbis. Sem brincadeira: tem tanto zumbi se aproximando que dá para organizar uma pelada. Com banco de reservas completo para os dois times... e trio de arbitragem. E técnicos dando bronca nos jogadores.

Com o caminhar lento típico dos mortos-vivos (se bem que já vi uns filmes em que eles são rápidos pra caramba), eles se aproximam da casa e não parecem nem um pouquinho felizes com o que fiz ao amigo deles. Se fossem racionais, aposto que estariam ainda mais doidos, com sede de vingança pela honra do amigo morto.

Olho para a espadinha de madeira que estou segurando, para as tochas nas paredes da sala e penso em voz alta:

— É, Rezende, vai ser uma *loooooonga* noite. Melhor se preparar para enfrentar a horda!

CAPÍTULO 3

É, Rezende, você poderia estar em qualquer outro tipo de jogo mais tranquilo... Poderia estar em um *adventure point and click* das antigas, ou em um quebra-cabeça de ficar deslizando peças ou combinando três pecinhas da mesma cor — ou mesmo em um simulador de namoro criado no Japão. Mas nããããão, Rezende, você tinha que escolher aquele em que vez ou outra aparece um monte de monstrengos bem na hora em que você está ocupado demais fazendo outras coisas. Ah, mas a quem estou enganando? Eu adoro este jogo, e é por isso mesmo que tenho certeza de que vou sobreviver a esta noite nas trevas e desvendar o mistério de uma vez por todas.

O primeiro zumbi foi só para dar um gostinho do que está por vir. O pequeno exército de criaturas da noite quer ver minha caveira, mas eu sou melhor do que eles! Mesmo se perder, o que não vai acontecer, não vou cair sem uma boa luta. Eles estão em vantagem numérica, então preciso usar mais do que a força bruta: tenho que pôr o cérebro para funcionar, senão meus miolos vão acabar virando o prato principal desses invasores.

Ainda bem que aproveitei meu primeiro dia no mundo virtual construindo esta casa com vários detalhes, pois é exatamente isso que vai fazer a diferença entre sobreviver ou não a esta noite.

Força, Rezende! Vamos lá... Vou empurrar o armário para a frente da janela do quarto. Força! Eu poderia tentar desmontá-lo e remontá-lo na janela, mas não quero dar chance ao azar. Vai que aparece um bicho enquanto eu ainda estou remontando o negócio? Ufa, agora que consegui, os monstrengos não vão nem sonhar em entrar por ali. Se é que zumbi sonha. Com o que será que ele sonha?

FOCO, Rezende! Deixa para filosofar sobre a mente e os sonhos dos zumbis depois que eles forem embora, senão você vai acabar virando um deles e descobrindo a resposta na marra (e o pior é que não vai ter ninguém para quem contar, além dos outros zumbis, que só ficam soltando esses gemidos tenebrosos).

Na frente das outras janelas, vou fazer um negócio para afastá-los. Zumbi tem medo de fogo, não é? Pelo menos nos filmes que vi até hoje, eles não gostam muito de chamas. Nem de água corrente. Ou eram os vampiros? Será que eu deveria ter juntado alho? Será que tem vampiro aqui? Será que a pele deles brilha ao sol? FOCO, Rezende! Qual era a ideia do fogo, mesmo? Ah, é! Pegar as tochas dos cantos das salas e colocar na frente das janelas, por dentro de casa. Se os bichos tentarem entrar, vão se queimar.

Genial, garoto! Isso deve retardá-los pelo menos um pouco.

Vou aproveitar que este começo de defesa está indo bem para ver se a casa tem outros pontos fracos. Segurança nunca é demais. Vamos ver se encontro algo sob a casa. Vou cavar uma área bem pequena e manter a mesinha de cabeceira bem do lado para, caso eu esbarre em alguma coisa ameaçadora, tapar o buraco.

Como esperado, tem terra. Epa, vejo algo brilhando — o que é isso? Uma caixinha de música? Vou abrir com bastaaaaaante cuidado e... Acho um papel antigo. Caramba! Se não forem as instruções, eu vou ficar muito bolado.

"*Você vai andar pelos quatro cantos deste mundo. Escalar montanhas. Navegar águas profundas. Descobrir onde o vento faz a curva. Caminhar pelo deserto. Rir, chorar, se revoltar, ser tocado pela emoção — e então voltará ao marco zero. Jovem, sua maior vitória será entender que o verdadeiro tesouro está na jornada, e não no destino final.*"

Eita. Das duas, uma: ou esse recadinho é para outra pessoa (afinal, não está endereçado. Eu sou jovem, mas será que é de mim que estão falando?), ou acabei de encontrar sem querer o maior spoiler do universo. Enfim, melhor eu pôr isso de volta onde estava. Quem sabe um dia o recado encontra seu verdadeiro dono?

Uns barulhos bem estranhos interrompem meu raciocínio. Vêm rápido, como se o vento tivesse criado vida. Vêm de longe, em intervalos curtos, e podem ser ouvidos da casa, mesmo com os grunhidos dos zumbis lá fora. E talvez eu esteja enganado, mas parece que ao final de cada som o coral involuntário dos mortos-vivos fica desfalcado de um dos seus "cantores".

Gente, o que está acontecendo? Será que algo pior que os zumbis está acabando com eles? Se for isso, será que também quer acabar comigo? E se for o Enderman? Se for, vixe! Aí o negócio piora de vez: não vou poder nem olhar para saber se é mesmo, senão ele parte pra cima de mim. Ai, meu Jesus Cristinho, que situação mais apavorante! Dá para sentir a tensão no ar!

Ah, não. Barulhos de explosão. Eu sei muito bem quem está chegando, e vocês também já devem saber. Se aqueles malditos cactos-bombas ambulantes vierem para cá, pode dar encrenca! Imagina se um deles encosta nas paredes da casa... Minhas barricadas não servirão para nada! Vai ser tipo se defender de uma paulada com uma folha de papel!

Pensa, Rezende, pensa! O que dá para fazer? Se eles derrubarem as paredes, a casa vai ruir e eu vou ficar soterrado... OU NÃO!

Ah, Rezende, como você não pensou nisso antes? Aqui, o teto pode ficar suspenso no ar, porque as leis da física do jogo não são as mesmas do mundo real! Se eu conseguir bolar um jeito de subir no telhado e ficar bem longe do nível do chão, pode vir o capiroto que for, que ele não vai me ameaçar! Daí é só esperar amanhecer e partir pra próxima! E o barulho de vento soa cada vez mais perto...

Só me resta improvisar uma escadinha, e é bom que dá para fazer como nos desenhos animados das antigas. Sabe quando o cara sobe num degrau, tira o degrau anterior, põe ele na frente, sobe e repete até chegar onde quer? É isso aí! Eu sa-bi-a que todos esses anos vendo televisão e jogando videogame serviriam para alguma coisa! Agora é só fazer funcionar!

Rapidinho consigo subir, abro um buraco no teto e atravesso. Vejo o céu estrelado e aquela lua quadrada indo devagar em direção ao horizonte. Agora que eu quero que o tempo passe rápido, parece que ele dura uma eternidade! Depois de subir no telhado, fecho o buraco e finalmente olho em volta para tentar entender melhor o tamanho da encrenca.

O laguinho próximo está cheio de pernas e braços quadrados de zumbis que não vão voltar tão cedo. Felizmente, nem sinal do Enderzão... ufa! Vejo algumas pequenas crateras pelo chão — isso mesmo, culpa dos cactos-bombas... Então paro e reflito: eles costumam estourar quando são atacados ou estão perto demais de humanos. Será que... Será que não estou sozinho?

Ao redor da casa, ainda tem alguns zumbis e também aranhas... e noto que um vulto fantasmagórico vai na direção deles. De repente, *vush*! Aquele barulho de vento que eu estava ouvindo dentro da casa! Depois, vejo uma aranha voar longe, bater em uma árvore e cair, já imóvel. Do nada, a sombra dispara na direção dos três zumbis que restam. O som continua, e os zumbis caem mortos — mortos pela segunda vez!

A lua quadrada começa a se aproximar da linha do horizonte, e a figura de capuz negro está de costas para mim, imóvel, observando a noite chegar ao fim. O sol começa a nascer do outro lado, e os poucos bichos restantes desaparecem em pleno ar, como se tivessem sido apagados da realidade. Os sons de ventania param. Parece que a sombra misteriosa segura uma espada, que some de uma hora para outra.

"Hmmm, igual a quando eu guardo as coisas no inventário", penso.

Logo depois, a figura se vira na minha direção. Ainda não consigo ver seu rosto. O que fazer? Falo com o vulto? Espero se aproximar? Decido tentar a sorte.

— Bom dia — digo, na esperança de receber uma resposta simpática. — Quem é você?

— Bom dia. Quem é você? — responde o misterioso ser, com curiosidade na voz.

É a primeira vez que ouço um personagem deste jogo falando. Soa meio robótico, mas há um pouco de humanidade por trás.

— Não vale! Eu perguntei primeiro! — brinco, tentando quebrar o gelo, e dou uma risada meio nervosa.

Parece uma eternidade para mim, mas segundos depois ouço novamente a voz do encapuzado:

— Hehehe. Onde estão minhas boas maneiras? Tem razão. Tudo bem que eu acabei de salvar a sua pele, mas justiça seja feita: você perguntou primeiro, então respondo primeiro.

Erguendo os braços, a figura levanta o capuz e revela o rosto. Gente... COMO É QUE É?

— Muito prazer. Meu nome é... RezendeEvil — diz a figura.

CAPÍTULO 4

Olho o cara misterioso nos olhos e não sinto medo. De certa forma, é como se nos conhecêssemos há muitos anos. Desço do telhado.

Levanto o braço esquerdo. Ele também. Coço o nariz. Ele também. Parece que estou diante de um espelho. Faço uma dancinha. A dele é idêntica. Como assim?

Penso em um novo teste:

— O nome do meu cachorrinho é…

— Puppy.

— Meu amigo que ronca que nem um trator é o…

— Wolff.

— E antes de dormir eu tomei…

— Achocolatado. Bom, essa era fácil.

Não acredito no que está acontecendo. Ele sabe todas as respostas!

— Mas... Mas isso é incrível! E impossível. Como podem existir dois de mim? É como se...

— Se eu fosse um reflexo seu? Ou um clone? — completa o não mais misterioso salvador da pátria, que livrou meu cérebro do triste destino de virar ração de morto-vivo.

— É, isso mesmo! Peraí: você consegue ler meus pensamentos? Nós somos a mesma pessoa? — pergunto, sem entender chongas do que está rolando diante dos meus olhos.

O cara misterioso dá um suspiro, parecido com os que eu dou quando o computador trava, e começa a desembuchar:

— Eu não sou um clone seu, Rezende. Na verdade, você é o Pedro. O Rezende sou eu. Entendeu? Lá, no seu mundo, você me criou. Eu vivo aqui, neste universo que você inventou. Só que, aqui, eu tenho vida própria. E neste mundo acontecem coisas que você nem imagina. Você é o Pedro, irmão do João, que mora em Londrina e bebe achocolatado como se fosse água. E eu sou o Rezende, uma versão virtual sua. Você vive no mundo real, e eu, no virtual. Mas para mim este mundo é real. Muito real.

Devo ter feito cara de que não estava entendendo nada, porque o Rezende do Lado B continua explicando. E não entendi mesmo, mas achei que tinha mandado bem na cara de conteúdo.

— Tudo que você sabe eu também sei — afirma o cara. — É como se você tivesse me treinado, entendeu? Eu aprendi todos os movimentos e as estratégias que você executou no jogo. Memorizei tudo. É como se você fosse o treinador, e eu, o guerreiro em campo.

— Para, para, para tudo. Eu preciso pensar. É muita informação ao mesmo tempo! Meu cérebro não está processando, cara — respondo, enquanto me sento à sombra de uma árvore.

"Calma, Rezende", penso. "Quer dizer, Pedro. Argh! Que confusão! Daqui a pouco não vou mais saber nem quem eu sou!"

— Você é o Pedro. Eu sou o Rezende. Pelo menos enquanto a gente estiver aqui, no meu mundo, no mundo que você criou — diz o cara, como se adivinhasse o que eu estou pensando. — Eu sei que é confuso. Mas, acredite em mim, existe um motivo para você ter vindo parar aqui, e existe um motivo para o nosso encontro.

Um motivo para o nosso encontro? Mas qual? Foco, eu preciso de foco! Vamos recapitular meu dia:

evento de games, bate-papo com seguidores do meu canal no YouTube, um velho toscão, táxi com o João, o velho de novo... o velho!

— O VELHO! — acabo gritando e dou um bicudão na árvore. Coitada. Ela não merecia.

— Você veio parar no meu mundo porque, como criador deste universo, é o único que pode nos ajudar a acabar com a guerra que está destruindo tudo e todos por aqui — explica o Rezende virtual.

— Cara, mas o que aquele velho pirado é seu? Ele mora aqui? — pergunto, tentando ligar os pontos.

Ele não responde, simplesmente olha para o horizonte pixelado, coça o queixo, balança a cabeça e aponta para uma montanha ao longe, tão longe que mal consigo enxergar. Logo imagino que vou encontrar lá algumas das respostas que estou buscando. Parece que é hora de levantarmos acampamento. Mas... como eu entendi tudo isso sem ele me dizer nada? Será que, além de mestre na arte de montar cenários pixelados, também virei especialista em ler pensamentos?

— Vamos juntar as nossas coisas e seguir viagem — diz o Rezende virtual. — E lembre que aqui você é Pedro. O Rezende sou eu.

— Claro, cara, você manda. Demora muito para chegar naquela montanha? — pergunto.

— O caminho pode ser longo, mas a jornada é curta. Ou vice-versa. Só depende da gente.

Caraca! Quando foi que eu fiquei tão profundo? De repente sinto uma pontada de orgulho de ter um clone, uma cópia, um gêmeo ou um sei-lá-o-quê tão esperto. Mas, se a viagem vai ser longa, melhor a gente se prevenir.

— Ô, Rezende... não é melhor caçar uns porcos e construir espadas antes de seguir para a montanha? — pergunto. — Eu não sou esfomeado, mas já assisti a muitos filmes, e sei que é melhor estarmos preparados quando nós não sabemos o que vamos enfrentar.

Rezende dá um sorriso e me estende a mão.

— Acho que agora você entendeu que estamos juntos nesta, cara. Mas eu prefiro porco assado a porco cru, falou?

Ufa! Então o Rezende virtual realmente é meu parceiro. Sei lá, confesso que estava meio desconfiado. Muita coisa ao mesmo tempo, não acha? Primeiro o velho, depois eu venho parar aqui, com braços e cabeça quadrados... Quase viro comida de zumbi e sou salvo por um cara que diz ser eu! E aí tem essa guerra, na qual só eu posso ajudar. Vai, cara, admite: é muita coisa para pensar, não é? Mas aí eu pergunto: se a lógica do mundo real nem sempre faz sentido, por que a dos games faria? Aqui, dentro do jogo, tudo se encaixa.

Fazemos nossos preparativos, depois caminhamos em silêncio, com o sol quadrado a pino sobre a nossa cabeça. Penso em tudo isso, em como da noite para o dia minha vida mudou, e reparo que o cenário também vai se transformando. Os campos verdejantes dão lugar a uma vegetação mais árida... De repente, tudo fica branco e eu começo a tremer pra valer! Caramba, bem que minha mãe sempre fala: "Meu filho, quando sair de casa leve um casaquinho na mochila!" Tudo que eu queria agora era um moletom bem quentinho...

— Não se assuste com o clima — diz Rezende. — A tundra é um atalho para o nosso destino. Se a gente evitasse a neve, demoraria muito mais para chegar lá, e tempo é tudo que não temos. Toma, pega este cobertor aqui. Ele esquenta bem.

— Mas e você? — pergunto, aceitando a oferta, porque nem em Londrina faz tanto frio assim, mas preocupado com meu brother.

— Já me acostumei. Esqueceu que foi você quem me criou e me treinou? Quantas vezes você me fez praticar neste cenário? Para eu sentir frio, falta muito! — responde ele, com um sorriso.

Não consigo deixar de pensar no João, no Wolff, em todos os meus amigos e na minha família. Será que o Rezende virtual tem amigos? Aproveitando o clima amigável, decido tocar no assunto.

— Mas e aí, Rezende? Como é a sua vida aqui? Você tem amigos, família...? Rolam uns papos com umas gatinhas quadradas lá aonde estamos indo?

— Claro, Pedro. Quando você joga, não está sempre acompanhado dos amigos? Eu também tenho amigos, até mesmo um cachorro, que nem você — responde, menos sério e mais tranquilo, apesar de reduzirmos o passo por causa da neve escorregadia.

— E para onde vamos?

— Para minha casa, Pedro. Um vilarejo onde vivíamos em paz e em festa até... até a guerra começar. Você ia gostar. Tem porco cru e porco assado à vontade — brinca ele.

Solto uma risada e reparo que a neve está começando a rarear, e a montanha, que parecia tão distante, surge mais próxima. Pedras tomam conta do cenário, e notamos que andamos tanto que já está escurecendo. Se eu não estivesse de tênis, certamente teria bolhas no pé! Mas seriam essas bolhas... quadradas?

— Vem, Pedro, tem uma caverna aqui perto. Lá a gente se protege dos monstros durante a noite — fala Rezende.

Quando chegamos, constato até que a tal caverna é ajeitadinha. Quer dizer, não é nenhum hotel cinco estrelas nem tem uma cama tão fofinha quanto a minha, mas o cobertor que o Rezende me deu é bem confortável. E eu estou tão cansado...

— Pedro, já está dormindo? — pergunta Rezende, na verdade me acordando.

— Imagina, cara, pode falar, estou acordadão. — Eu minto mal à beça, pode dizer.

— Só queria agradecer pela ajuda. E por acreditar em mim.

— Que isso, Rezende! Você salvou a minha vida, parceiro — respondo, sincero.

— E você, a minha. E, em pouco tempo, vai salvar a de muitas outras pessoas — completa ele.

Quero responder, mas já estou caindo no sono de novo... Foi um longo dia.

CAPÍTULO 5

Certa vez, li em algum lugar uma coisa bem curiosa: quando uma pessoa passa muito tempo jogando o mesmo game — tipo Tetris, por exemplo —, as chances de ela sonhar com elementos dele, como blocos caindo, são beeeeem grandes. Comigo aconteceu exatamente o inverso...

Com todo o cansaço da noite maldormida graças ao ataque dos monstrengos — que, felizmente, terminou com minha sobrevivência e a chance de conhecer meu eu virtual —, meu sono veio repleto de lembranças do meu mundinho normal em Londrina, onde só é quadrado o que precisa ser quadrado, como as caixinhas de achocolatado que eu adoro.

Acordo, e o que vejo? Aqui certamente não é o meu quarto... Sim, claro, estou em um mundo virtual, e meu guia turístico é ninguém menos do que meu avatar, que usei para criar minhas aventuras em vídeo... Aliás, cadê ele?

Olho em volta da caverna e vejo, espalhados pelo chão, uns gravetos que deveriam servir de tochas durante a noite, mas estão apagados. Será que ele foi embora? Será que nunca esteve aqui e tudo foi fruto da minha imaginação? Ouço um ruído do lado de fora da caverna e... Ufa, não é nenhum monstro feroz, e sim o Rezende. Pelo menos maluco eu não estou ficando.

Quando me aproximo, vejo que ele está treinando golpes com uma espadinha de madeira, bem menos legal do que a usada ontem à noite contra os monstrengos invasores. Ele se movimenta com estilo e habilidade, como se tivesse nascido para isso. Só que, no final da manobra...

— Ai! — exclama ele, ao se estatelar de costas no chão frio.

— Eita! Tudo bem aí, Rezende?

— Hã... Ah, oi, Pedro — responde ele, meio sem jeito por causa do tombo. — Finalmente acordou, hein? Tomara que no seu mundo você não fale tanto enquanto dorme, porque, vou lhe contar... acho que a sua família ia precisar comprar protetores de ouvido!

— Cara, dá um desconto, sério! Eu não tive uma boa noite de sono; já que o ataque dos bichos sinistros não ajudou muito... Mas que papo é esse de eu falar dormindo? — pergunto, meio preocupado. Será que falei alguma bobagem?

— Não esquenta, quase xará. Eu também estava bem cansado, mas sabe como é: neste mundo, é bom estar sempre alerta, então acordei algumas vezes durante a noite para ficar de sentinela. E escutei você resmungando uns negócios que não entendi direito. Pior que eu nem lembro bem o que você falou... Se eu lembrar, depois conto.

— Ah, ufa — respondo, com uma pontada de alívio.

Sei lá, né? Nunca vim aqui em pessoa antes, não queria passar uma impressão errada logo na primeira visita.

— Que nada, fica tranquilo, Pedrão. A gente já se conhece bem, não é mesmo?

Verdade... Apesar da surpresa ao vê-lo como um misterioso guerreiro encapuzado, é como se a gente se conhecesse há um tempão. Mas, mesmo assim, fico com a impressão de que ainda tenho muito a descobrir sobre ele. Então me bate uma dúvida...

— Me responde um negócio, Rezende: agora há pouco, você estava fazendo uns movimentos muito loucos com a espada, fiquei bem impressionado. Mas, do nada, caiu. O que você estava fazendo?

— Ah, Pedro, isso é uma técnica nova que eu venho tentando aprender faz um tempão, só que sempre me lasco na parte final. Achei isso em um livro na minha aldeia, decorei tudo que estava lá, só que... sempre erro no final.

— Sério? Que estranho. Pelo que eu vi, você parece um guerreiro nato com a espada!

— Pois é, a galera lá do vilarejo conta comigo para nos defender de inimigos e monstros. Não é como se eu fosse um novato, sabe? Só que, vou falar... às vezes, penso que este livro está incompleto. Ou que alguém quer pregar uma peça em mim.

— Ih, sei bem como é. Outro dia me contaram um jeito de confundir as pessoas: você só precisa de um balde de tinta, um pincel e três porcos. Aí escreve os números 1, 2 e 4 na pele de cada porco... Então solta os bichos no meio da cidade. Depois, é só pegar a pipoca e ver as autoridades se desdobrando para encontrar um porco com o número 3.

Rezende dá uma risada daquelas. É como se ele não tivesse motivos para rir há muito tempo. Ainda que seja legal vê-lo mais descontraído, tenho a sensação de que ele está passando por uma grande roubada.

— Ah, Pedro, vou levar essa ideia para o vilarejo... E, por falar em porcos, não está com fome, não? Acho que já é hora de a gente pegar as coisas e continuar a jornada, porque o vilarejo ainda está um pouco longe daqui.

— Claro, cara. Tudo por um pouquinho de carne de porco...

— ... assada! — dizemos, ao mesmo tempo.

Se a gente tivesse combinado, talvez a sincronia não fosse tão perfeita! Parece que a gente lê a mente um do outro.

Depois de um tempo recolhendo nossas coisas, abandonamos a caverna e continuamos a jornada rumo ao vilarejo do Rezende.

Uma das curiosidades de estar em um ambiente como este é como seu senso de tempo fica... bagunçado. Algo que parecia superdistante se aproxima mais depressa do que no mundo real, e, em compensação, o Sol quadrado cruza o céu com uma velocidade proporcional. Sabe o que isso quer dizer? Começa a escurecer rápido. Felizmente, já estamos vendo os primeiros sinais do vilarejo do Rezende. Ufa!

Ao chegarmos, vejo uma placa com um alfabeto que não conheço, mas que me é muito familiar: é o vilarejo que eu criei no jogo! Nossa, acho que nem eu imaginaria visitar uma criação minha desta maneira — pensando bem, ninguém imaginaria. Fico bem emocionado, e louco para contar aos meus amigos.

E, por falar em amigos, Rezende e eu vemos um rosto familiar: é o Puppy! Abanando o rabo e latindo, ele corre na nossa direção e pula no meu colo, me derrubando.

— Sério, Puppy? — pergunta Rezende, em tom de brincadeira. — Eu trago comida, brinquedos, levo para passear... e é ele quem recebe essa festinha toda? É, tô mal na fita mesmo! Hahahaha!

Puppy sai do meu colo e vai brincar com Rezende.

— Ah! — exclama ele. — Sabia que você não ia me abandonar, seu cachorrinho ingrato. Ah, a quem eu estou enganando? Não consigo ficar bravo com você por muito tempo, seu safado!

Enquanto isso, ouço o barulho de portas se abrindo, e alguns dos aldeões começam a sair de casas, tavernas, açougues... enfim, de todo tipo de estabelecimento de uma cidadezinha como outra qualquer. Só que quadrado.

— Olha só, pessoal! O Rezende voltou! — diz o dono da estalagem.

— E acompanhado! — grita a garçonete, com uma caneca de vinho na mão.

— Ei... Espera aí... — diz uma senhorinha com um gato no colo, tirando os óculos e limpando na roupa. Ela os coloca de volta e... — Rezende, meu rapaz, que traquinagem é esta?

Aos poucos, o que parece a celebração do retorno do glorioso herói do vilarejo ganha um clima de desconfiança e desentendimento.

— DOIS REZENDES? — perguntam os gêmeos, correndo para a barra da saia da mãe.

— QUE FEITIÇARIA É ESSA? — questiona o padre, como se visse um de seus piores pesadelos virar realidade.

— C-Calma, pessoal — gagueja Rezende, olhando para mim. — Sem pânico! Ele é um amigo...

Infelizmente, a explicação é tão eficaz quanto apagar um incêndio com um copo d'água.

— E agora, pessoal? — pergunta o açougueiro, limpando o cutelo. — Será que esse que falou é o Rezende de mentira? E o outro é o verdadeiro?

— Só tem uma coisa a fazer — afirma o carcereiro. — Vou prender os dois e deixar que o Barão decida.

Olho em volta e percebo uma multidão enfurecida. Eles seguram tochas e ancinhos, e não parecem nem um pouco felizes em ver a gente. Os ânimos começam a esquentar, os guardas da cidade vêm cercar nós dois. Puppy rosna e fica em posição de ataque.

Mas, de repente, o ambiente fica silencioso. As pessoas enfurecidas baixam as armas devagar, e o povo à nossa frente começa a se afastar.

Eles estão abrindo caminho para que alguém se aproxime. Será que é o tal Barão?

Quando o grupo mais próximo da gente sai da frente, Puppy volta a latir e abanar o rabo igual a quando chegamos ao vilarejo. Olho para a frente e vejo uma figura com um robe e um capuz cinzento.

Pouco a pouco, a multidão começa a se ajoelhar, e, quando olho para o lado, Rezende também está apoiado em um dos joelhos... Até o Puppy se abaixa, como se estivesse se espreguiçando.

Eis que a figura se aproxima de mim, levanta o capuz e abre o robe na altura do pescoço, para mostrar um medalhão. Como se fosse uma lâmpada de LED, a pedra da joia começa a brilhar.

Ouço as pessoas em volta falando baixinho e entendo uma palavra em meio ao vozerio: "Profecia".

O encapuzado se vira para mim e diz:

— Rezeeeeeendeeeeee, *agora* você acredita em universos paralelos?

Essa voz é familiar... Não acredito!

CAPÍTULO 6

Estou com a cara na poeira. Com o queixo no chão. Sem palavras. Quer dizer que o velho... o velho sinistrão que me deixou todo arrepiado no encontro em Londrina é deste mundo?

— Mas o senhor não era assim tão quadradão, hein, seu Gandalf? — pergunto, tão nervoso que acabo soltando uma piada. Eu sei, eu sei, não é hora nem teve graça, mas escapou!

Um silêncio tenso toma conta do vilarejo. É hoje que vou parar na masmorra, e nem o Rezende vai conseguir me tirar dessa. Cadê o João quando eu mais preciso dele? Quando já estou conformado com meu triste fim, o velho começa a rir baixinho. E o riso vai virando uma gargalhada.

O que está acontecendo? Todo mundo começou a rir!

— Meeeeeu rapaaaaaaaaz... Você é muito engraçaaaaaaado! — solta o velho, me deixando ainda mais surpreso. Mas quem é ele, afinal?

Antes de falar mais, o velho se aproxima de mim, como se lesse meus pensamentos:

— Aqui, você é Peeeeeedro... E eu sou Gulov — continua. — Sei que você ainda tem muitas dúvidas... Mas tudo tem seu tempo...

— Ok, já entendi que o seu nome é Gulov, seu Gandalf. Mas quem é você?

Isso tudo é muito novo! Minha cabeça está dando tilt!

Percebendo que meu cérebro está prestes a explodir, Rezende se aproxima e me dá um tapinha nas costas.

— Pedro, o Gulov é o sábio da aldeia. Como você diria, ele *manja dos paranauê*. Nossa única chance de sobreviver, de manter este universo paralelo, era trazer você para cá, de qualquer jeito. E o Gulov é o único que consegue transitar entre os dois mundos — explica Rezende.

— Dois mundos... Um herói... — diz Gulov.

Mais um enigma para decifrar.

Todos os moradores do vilarejo me olham. Lado a lado, Rezende e eu somos cercados por adultos, velhinhos e crianças.

— Dois mundos, um herói! — grita Gulov.

— Dois mundos, um herói! — acompanha todo mundo da aldeia.

Parece cena de filme, desses que passam à tarde, sabe? Queria que meus pais vissem isso. Não sou só um moleque que joga no computador. Aqui, no vilarejo do Rezende, sou um herói, como eles dizem! E tenho a chance de fazer a diferença: eles precisam de mim. É como se todas as partidas que joguei tivessem sido uma preparação para este momento. Bom, eu tenho tantas horas de jogo que não vou me espantar se esse for um dos motivos de Gulov ter me escolhido para ajudar na salvação deste mundo, não é mesmo?

Depois de tudo esclarecido com os aldeões, o açougueiro até libera uns filés e uns frangos para um churrasco, olha que maneiro! Mas nem tudo é festa. Está chegando a hora de conversar a sério com o Rezende e o Gulov. Afinal, eu sei que o vilarejo vem passando por maus bocados, que uma guerra está acabando com a paz dos moradores. Também descobri que sou uma peça fundamental no plano deles. Só falta saber um detalhe: quem é o inimigo? Uma coisa que aprendi com os jogos — inclusive com o futebol, quando joguei um tempo fora do Brasil — é que, quando se entra em campo, seja num gramado ou numa tela de computador, você precisa estar preparado e bem-treinado e conhecer seu adversário. E, verdade seja dita, eu não preencho nenhum dos três requisitos. E agora, fera?

No meio das ruínas do que parece ter sido uma cidade próspera há pouco tempo, Rezende abre uma mochila com um arsenal de fazer inveja a qualquer guerreiro... da Idade Média. Um gazilhão de espadas, machados, arcos e flechas de tudo que é tamanho. Ai, meu Jesus Cristinho! Uma coisa é usar isso tudo no jogo. Outra é na vida real. Quer dizer: na vida real dentro da virtual. Melhor nem pensar muito nisso, senão meu cérebro vai fundir! E eu não quero meus neurônios fritos que nem carne de porco!

— Essas são as nossas armas — afirma Rezende. — Talvez não sejam tão modernas quanto as dos outros jogos, mas aqui, neste universo, elas são as mais eficazes, pode acreditar. Deu um trabalho danado construir tudo isso, viu?

— Você está esquecendo um detalhezinho muito importante, Rezende — mando na lata.

— O quê? Peraí. Espadas, arcos, flechas, machados... Ah, esqueci os casacos de pele de ovelha! — responde Rezende, bastante encafifado.

— Não, Rezende! Pensa! Você me falou que a sua aldeia está sofrendo com uma guerra, mas não me contou o motivo! Para quê todas essas armas? Contra quem preciso lutar?

Sabe o barulho da ficha caindo? Bom, eu mesmo não sei, porque quando nasci os telefones públicos já eram de cartão. Mas minha mãe me contou como era antigamente: quem queria telefonar do orelhão precisava comprar fichas! Que doido, não é? Peraí, foco, foco! A cara do Rezende é impagável. Ele realmente se esqueceu de me contar uma parte essencial da história.

— Você está certo, Pedro. Eu deveria ter contado logo de cara. Mas precisava ter certeza de que podia confiar em você. Que você é realmente quem nós pensávamos — diz ele.

Caminhamos até as margens de um lago e contemplamos o horizonte (pixelado, é claro).

— Pedro, como eu disse, estamos vivendo uma guerra. Este vilarejo viveu tempos de paz e de harmonia, estávamos expandindo os domínios, explorando novas áreas, desbravando este universo. Até que os exploradores chegaram ao que parecia ser o fim do nosso mundo, uma dobra no espaço-tempo. Eles acharam que haviam descoberto algo que poderia ajudar a gente, mas acabaram encontrando a morte — explica Rezende, mais sério do que nunca.

Escuto tudo o que ele diz e acho melhor falar a verdade, mesmo pagando de burro. Meus pais vivem me dizendo que ser honesto é sempre a melhor opção.

— Mas como...? O que é uma dobra no espaço--tempo? — pergunto. — Sério, eu sempre ouço falar disso nos filmes, mas nunca entendi.

— É uma brecha que liga os nossos mundos, Pedro. Foi por lá que o Gulov conseguiu ir até você e voltar, e também foi por lá que você chegou. O problema é que, ao contrário do Gulov, que tem milhares de anos de sabedoria, nossos exploradores foram imprudentes. Achavam que poderiam transitar livremente entre os mundos. Mas não sabiam que, como qualquer tesouro, essa dobra é protegida, e muito bem. Um dragão guarda essa passagem entre os universos. E os exploradores não tiveram a menor chance contra ele. E aí você já pode imaginar: pisaram no calo do bicho, tentaram tomar seu tesouro, e desde então o dragão vem tentando reduzir nosso vilarejo a pó. Tudo que construímos, tudo que você construiu. Nosso esforço para manter a aldeia de pé poderia ir por água abaixo se o Gulov não fosse atrás de você. Eu concordo que ele não é exatamente um dos caras mais fáceis de se entrosar com a galera, mas era a nossa única esperança. Os ataques do dragão estão cada vez mais frequentes. Primeiro, eram mensais. Depois, passaram a ser quinzenais. Agora, estão acontecendo toda semana. Se demorássemos mais, o vilarejo não ficaria de pé. E haveria mais mortes.

— Peraí. Se essa dobra é tão bem-guardada, como eu consegui passar por ela sem virar papinha de dragão? E como eu vou voltar para o meu mundo sem virar pudim? E como o Gulov consegue passar? Ele tem, sei lá, uma capa de invisibilidade? Caraca, eu sempre quis uma dessas!

Acho que o Rezende realmente se parece comigo, porque ele ri. Só alguém como a gente ia querer uma capa de invisibilidade para tomar achocolatado de madrugada sem ninguém ver.

— Como eu disse, o Gulov tem séculos de leituras e estudo de magia. Ele é capaz de mover montanhas, literalmente, que dirá passar por um dragão. E foi ele quem trouxe você também — diz Rezende.

— Hum... Mas tem um detalhe que não bate. Por que o dragão protege a fronteira entre os mundos? Por que ele mesmo não atravessa? E por que nunca tinha atacado antes?

Ufa, eu sei, faço muitas perguntas!

— Muito bem, Pedro! Você está fazendo as perguntas certas. O dragão nunca foi até o seu mundo porque é grande demais para atravessar essa brecha. Seria como tentar enfiar um elefante numa casinha de cachorro. A função do dragão é simplesmente proteger a dobra e manter o equilíbrio entre os mundos. Ele está ali desde tempos remotos, desde antes de o Gulov existir, e olha que ele é a pessoa mais velha que eu conheço! O problema é que, quando provocados, os dragões reagem eliminando as ameaças. Por isso os ataques. Para ele, o nosso universo é a ameaça, e não o seu. Tentamos construir barreiras com blocos, mas ele destruiu todas.

Depois de ouvir tudo isso, eu me sento à beira do lago. Desde a minha chegada, toda hora surge algo novo. Às vezes acho que a vida é mesmo como diz o tio Ben em *Homem-Aranha*: "Com grandes poderes vêm grandes responsabilidades". Além do mais, este jogo já me divertiu tanto, já me fez tão feliz! Talvez seja o momento de retribuir. Não vou deixar o Rezende e meus novos amigos na mão. Desistir de uma batalha? Jamais!

— Conte comigo, Rezende. A gente está junto nessa — digo ao meu companheiro de luta, estendendo a mão.

Rezende a aperta, como se fechássemos um acordo. Cara! Como é doido ter mãos quadradas! Não consigo deixar de reparar nisso.

— É sério, Pedro?

— Sim. Estou dentro — respondo.

— Então precisamos ir a outro lugar.

— Eita! Aonde? Aliás, não tem um mercadinho por aqui, não? O churrasco estava gostoso, mas já estou ficando com fome de novo...

— Vamos ao laboratório do Gulov. Tem outra coisa que você precisa saber, mas só ele pode contar. A gente pode comer depois.

— Rezende, você devia trocar seu nome para Esfinge, cara. Quantos enigmas!

— Esqueceu que, se eu trocar meu nome, é porque certamente você trocou o seu? Anda, ajuda aqui a recolher as armas — pede ele, sorrindo novamente.

Ainda não sei como ajudar. Mas sei que vou, e é isso que importa.

CAPÍTULO 7

De mochila e armas nas costas, chegamos ao laboratório do Gulov. Se o Rezende não dissesse nada, eu acharia que era a biblioteca da casa de um acumulador compulsivo, aqueles que têm mania de guardar tudo, até lixo, e nunca jogam nada fora. Tá louco, mano! Minha mãe com certeza iria surtar se visse tanto papel junto. Pois a casa do Gulov tem muita tranqueira: um monte de livros — muitos deles amarelados —, tubos de ensaio e até um caldeirão. Mas, como visita não pode falar nada, eu me seguro. Vai que o cara muda de ideia e resolve me fazer de comida de dragão?

— Gulov, podemos começar o treinamento. O Pedro aceitou ir — diz Rezende, com voz firme.

De repente, Gulov sai de um canto escuro da sala. Caraca, esse cara adora mesmo fazer umas aparições cheias de pompa, não é?

— Rezeeeeendeeeee… Peeeeedro… Vocês já sabem da ameaça que nos cerca… E sabem o que têm que fazer… Agora precisam saber como… — afirma ele, com voz cavernosa.

— Dois mundos, um herói — diz Rezende, fazendo uma reverência ao sábio.

— O que isso quer dizer? — pergunto. — Assim que cheguei à aldeia, todo mundo ficou gritando isso aí: "Dois mundos, um herói." Não deveria ser "dois mundos, dois heróis"? Eu, o Rezende de lá, e ele, o Rezende de cá?

Gulov se aproxima e junta minha mão esquerda à mão direita do Rezende.

— O dragão que vive além do lago e protege a passagem entre os dois mundos só poderá ser derrotado pelo Herói Duplo — explica Gulov. — Neste mundo aqui, Peeeeedro, Rezende é um guerreiro poderoso. No seu mundo, Peeeeedro, você é um grande estrategista. Agora, vocês dois vão precisar ter as mesmas habilidades. É o que diz a profecia que vem dos tempos dos meus ancestrais. E até hoje a profecia tem se mostrado correta.

Gulov vai até a escrivaninha e pega um papel parecido com aqueles do Egito Antigo. Ao abrir, revela umas ilustrações dos tempos das cavernas e letras de algum alfabeto que com certeza não é o nosso, mas que contam uma história. Não reconheço o garrancho, mas o Gulov parece ler aquilo com extrema facilidade. Esse maluco sabe mesmo das coisas! E começa a ler alguns versos da profecia...

Quando a ameaça dos ares chegar
e o fogo por tudo se alastrar,
somente um herói duplo poderá nos salvar.
Um é estrategista, o outro, guerreiro.
Mas para salvar este universo
os dois terão que formar um inteiro.
Como num espelho, em perfeita sincronia,
um deverá agir e atacar
do modo que o outro faria.

Rezende e eu nos entreolhamos, e, apesar dos versos meio malfeitos, entendo a profecia. Eu não sou tão mané assim, galera.

— Peeeeedro, Rezeeeeendeeeee, vocês terão que ser um só. Ler a mente do outro, se completar totalmente, sem um pingo de hesitação. Só assim vai ser possível derrotar o dragão, e nosso mundo voltará à normalidade — completa Gulov. — O treinamento será duro, e temos pouco tempo. Os ataques vêm acontecendo toda semana. Você já está aqui há duas noites, Pedro. Os dois precisam estar prontos!

Quando o Gulov diz que eu já estou aqui há duas noites, sinto um calafrio. Meus pais devem estar preocupados, me procurando em todos os hospitais de Londrina. E o João? E os seguidores do canal? Dois dias sem postar nada! Isso não é normal!

— Gulov, se eu morrer, minha mãe me mata! Já faz dois dias que eu estou sumido, meu pai deve estar desesperado! — De repente, mesmo diante do risco de destruição deste universo dos games, minha família me parece muito mais importante.

— Pode ficar tranquilo, Pedro. O nosso tempo corre diferente do tempo do seu mundo. Sua família provavelmente ainda está dormindo na mesma noite em que você veio para cá — conta Rezende, e eu me acalmo.

Estou prestes a realizar um dos meus grandes sonhos: ser um guerreiro poderoso! Com o treinamento do Gulov e do Rezende, vou ser de verdade quem até hoje só fui nos games. É muito louco pensar que em um dia você está de cara para o monitor, jogando com teclado e mouse, e no outro está aqui, ao vivo e a cores, encarando os desafios dos games!

Num estalo, volto ao mundo real — quer dizer, virtual: o Gulov está chamando meu nome sem parar.

— Peeeeedrooooo... Peeeeedrooooo... Amanhã vamos começar o treinamento!

Então, logo que o sol nasce, no dia seguinte, seguimos para as margens do lago, desta vez com o velho sábio nos acompanhando. Rezende carrega a mochila cheia de armas, e Puppy nos segue. Até quadrado ele é um cachorrinho muito esperto!

Por fim, paramos, e Rezende mais uma vez me estende a mão.

— Agora é a hora da verdade, Pedro. Nós vamos conseguir! — diz o meu amigo e guerreiro.

Quem visse o Gulov na feira de games poderia até achar que ele era um vovô cosplay de Gandalf, mas não que ele é tão bravo.

— Não está bom! — grita o velho. — De novo! Rezeeeeende, mais força nessa espada! Peeeeedro, você está errando o tempo do arco e flecha! Guerreiros, não esqueçam: a profecia falava sobre agir em perfeita sincronia!

Rezende entra no clima, e, quando vejo, estamos os dois suando gotas quadradas.

— Força! Levanta! Gira! Ataca! — grita Rezende.

— Força! Levanta! Gira! Ataca! — repito, executando os mesmos movimentos o melhor que posso.

— Não está bom! De novo! Mais uma vez! Atenção, Peeeeedro! — berra Gulov.

A espada é, de longe, a arma mais difícil de manusear. No jogo ela parece leve, mas é superpesada! Já o arco e flecha, depois de um bom tempo de treino, consigo dominar — e, melhor, sincronizar meu tempo com o do Rezende. É um dia cheio e sem descanso, nem lanche tem. Meu corpo dói, mas a recompensa chega logo.

— Parabéns, Rezeeeende. Parabéns, Peeeedro. Vocês estão prontos — afirma Gulov.

Olho para o Rezende e coço a cabeça. Ele repete o gesto, quase sem querer. Eu rio, ele também. Viramos de costas um para o outro. Empunhamos a espada — ao mesmo tempo!

Gulov ri, e Puppy corre de um lado para outro.

— Então era *por isso* que eu não conseguia botar todos os golpes na prática! Precisava do Pedro! — entende o Rezende.

— Isto se chama sincronia, rapazes. Façam as malas. É hora de partir! — completa o velho mago.

CAPÍTULO 8

Depois de passarmos mais uma noite no vilarejo, o Rezende virtual e eu acordamos nas primeiras horas da manhã, para sair sem muito alarde. Sabe como é... eu me sinto confiante de que voltaremos vitoriosos da missão, mas ao mesmo tempo fica aquela pontinha de medo e dúvida.

Afinal, estou em um mundo que, até outro dia, não conhecia. Pessoalmente. Bate aquela tristeza, e queremos evitar o climão das despedidas. Por isso, sair na maciota parece o certo.

Depois de juntarmos as coisas e deixarmos a casa em silêncio, vemos praticamente o vilarejo inteiro esperando a gente do lado de fora, com faixas e tudo mais. A galera madrugou mesmo!

— Pessoal, vocês não deveriam estar dormindo? — pergunta Rezende.

— E perder a chance de desejar boa sorte aos nossos heróis? — responde a garçonete da taverna. — Claro que não!

— É isso aí — diz o açougueiro. — E também trouxemos uns presentinhos de despedida...

— Calma lá, rapaz — intervém o ferreiro. — "Despedida", não. Do jeito que você fala, até parece que eles não vão mais voltar.

— Que horror! — exclama a avozinha com o gato no colo. — É claro que eles vão voltar. E quando voltarem, cada um vai ganhar um gato de presente. Ih, acho que estraguei a surpresa!

O pessoal em volta começa a rir, quebrando o clima pesado que o açougueiro trouxe sem querer. A senhorinha também começa a rir de si mesma, e acaba acordando o bichano no colo.

Tenho a mesma sensação de quando ouvi o Rezende rir pela primeira vez: parece que são poucos os motivos para alegria ultimamente, e finalmente eu entendo o motivo. Depois que o Gulov e o Rezende me explicaram a profecia, vi que a situação é bem sinistra. E a responsabilidade, bem grande...

De repente, uma menina se aproxima de mim e me dá uma boneca.

— Toma, Outro-Rezende. Quero que você me devolva quando voltar. Ela é uma guerreira tão forte quanto você.

— Filha, o que eu te disse? — diz a mãe dela, aproximando-se. — Ele tem nome, e é Pedro.

— Ah, mãe, mas ele é outro Rezende! Não é? — rebate a menina, olhando pra mim.

— Éééé... tem razão. Pode me chamar como preferir, mocinha! — respondo... porque, de fato: *neste* mundo, eu sou o *outro* Rezende. — Obrigado pelo presente. Qual é o nome dela?

— Não sei, ela nunca me contou — responde a menina, com um pouquinho de decepção. Depois, começa a rir. Ah, crianças...

Guardo a Boneca Sem Nome na mochila e, prestes a dar mais um passo para deixar o vilarejo, noto que há uma fila enorme de moradores com todo tipo de pacote na mão.

O açougueiro nos dá mais um monte de cortes de carne, e o padeiro nos entrega pães para o café da manhã. O ferreiro oferece pedras de amolar e outras para fazer faíscas, caso precisemos acender uma fogueira. Já a avozinha dos gatos dá... bem, ela dá um gorrinho de lã para cada um. Com os nomes bordados, ainda por cima.

— Vai que faz frio? — diz ela, com ar de preocupação maternal.

O apotecário — porque, na boa, eu me recuso a chamá-lo só de "farmacêutico" neste mundo de fantasia — entrega uma poção de vida para cada um de nós. Puppy está sentado ao lado dele. O cãozinho parece eufórico, achando que estamos saindo para passear. Um de nós tem que dar a má notícia...

— Amigão, desta vez você fica em casa — diz Rezende, fazendo carinho na cabeça do cachorro.

— Não se preocupe, campeão — fala o apotecário. — Enquanto vocês estiverem fora, eu tomo conta do Puppy.

— Obrigado, meu chapa — agradece Rezende com um aperto de mão bem firme, daqueles que dá para ouvir os ossos estalando.

— Ai! — solta o apotecário. — Ô, Rezende! Guarda essa força para quando enfrentar o dragão! — continua, arrancando mais risadas da galera ao redor.

Depois de a garçonete me dar um beijo na bochecha e eu cumprimentar os demais aldeões da fila, aparece uma figura que ainda não conheço.

— É uma honra vê-lo aqui, senhor — diz Rezende, fazendo uma breve reverência. E, quando percebo, já estou acompanhando o gesto dele.

— Rezende e Pedro... Pedro e Rezende... me acompanhem até os portões de entrada.

Prontamente, atendemos ao pedido dele.

— Claro, Barão — responde Rezende. Sim, finalmente conheci o Barão. As roupas impecáveis, pura ostentação, já dão a entender que ele é alguém de renome por aqui.

— Admito que estava ansioso por este dia — diz o governante. — Rezende é o guerreiro mais respeitável do vilarejo. Quando o Gulov me explicou que nem alguém tão poderoso quanto ele conseguiria resolver o problema sozinho, achei que estivesse tudo perdido. Agora, minha esperança foi renovada, e posso contar aos nossos habitantes que a situação é bem arriscada... mas também que estamos perto de resolvê-la.

— Obrigado pelo voto de confiança — respondo.

— Acho que vocês não têm noção do quanto este mundo é importante para mim, e vou fazer de tudo para que esta terra continue existindo em paz e harmonia.

— E é de mais gente assim que este mundo precisa, Pedro.

— É verdade, Peeeeeeeeeeedro... — concorda uma voz familiar.

— AHHHH!

Esse Gulov manja de muitas coisas, mas deve ser o melhor do mundo virtual em dar susto. Talvez nem só daqui, porque lá em Londrina ele também me deixou tenso. Eu me recupero e respondo:

— Gulov, Barão, muito obrigado por fazerem parte da minha vida.

— Peeeeedro... vire-se e olhe para o vilarejo...

Eu me viro e vejo todos os moradores olhando para nós, acenando e sorrindo.

— Peeeeeedro... você e o Rezende estão preparados para a jornada?

— Estamos — respondemos, em uma só voz.

— Percebo que siiiiiiiim. Então, sigam adiante, guerreiros! A jornada é longa, e o caminho é perigoso, mas vocês têm tudo de que precisam para resolver a crise. E eu estarei com vocês... em espírito, claro.

— Tudo bem, Gandalfinho Quadrado — respondo. — A hora é esta. Vamos, Rezende?

— Como já ouvi algumas pessoas dizendo: partiu! Até mais, pessoal! — Rezende se vira, acena e se despede mais uma vez dos aldeões.

Também dou meia-volta, olho para trás e dou tchau para o Puppy, que está pulando aos pés do apotecário. Olho para o vilarejo como se fosse a última vez, e até parece que muito tempo se passou... nem as casinhas nem as lojas parecem estar no mesmo lugar de quando cheguei. Talvez eu só esteja cansado e vendo coisas. Quem sabe...

CAPÍTULO 9

Eu nunca imaginei quanto minha jornada por aqui seria longa. Já passei pela tundra, por um ataque de zumbis e cactos explosivos... E é claro que minha saga não terminaria aí. Imagina! Conheci meu eu virtual e descobri que tenho um grande propósito neste mundo. Quem é que conseguiria prever isso?

À medida que nos afastamos do vilarejo, Rezende me explica que a montanha que serve de covil para o dragão fica... bem, fica muito longe, e a gente vai ralar um bocado para chegar lá. Ainda bem que o meu guia turístico favorito sabe melhor o que nos espera pela frente.

— Espero que você tenha conseguido estocar

bastante água, porque vamos atravessar o deserto — avisa Rezende.

— Deserto? — respondo, com um pouco de desânimo. — Eita, mano, eu sempre vejo as fases de deserto e de gelo dos videogames como as mais trabalhosas de passar... É tão difícil quanto parece?

— Olha... — diz Rezende, com ar de mistério. — Até que nem tanto, mas, como você só está treinado na arte do combate, a aula de sobrevivência vai ter que ser prática, mesmo.

— Bem, eu adoro um desafio.

É verdade, eu juro!

No mesmo instante, tenho a impressão de que posso me arrepender do que falei.

Pouco a pouco, as árvores e a vegetação dão lugar a um grande mar de areia. Nunca fui a um deserto no mundo real — só no virtual, mesmo — e não poderia imaginar o quanto ele parece desafiador.

Ainda assim, é para isso que estou aqui, então... coragem!

Sob um calor daqueles (e só consigo pensar no gorrinho de lã que a vovozinha dos gatos nos deu!), Rezende e eu caminhamos muito, e eu bebo quase toda a água que temos. Só que, bem, falta água até no mundo virtual! Eu devia ter trazido um galão de cinco litros, e não só alguns cantis. Achei que encontraríamos rios e lagos na nossa rota... Com a garrafinha já dando seus últimos suspiros, tenho uma ideia:

— Olha, Rezende, o que não falta aqui é cacto. Será que se quebrarmos alguns não conseguimos repor nosso estoque de água?

— Não desta vez, parceiro — diz Rezende, com claro desânimo. — O cacto daqui é tão seco que eu nem entendo como ele consegue sobreviver.

— Será que é magia?

— Eu não sei mesmo. Enfim, vamos continuar... Conheço um lugar no meio do caminho que pode servir de abrigo e onde podemos encontrar água, já que você não economizou a que a gente trouxe! O deserto engana, também. De dia faz um calor de lascar, mas de noite a temperatura cai à beça!

Confiando na dica que o Rezende deu, o jeito é criar coragem e continuar a bater perna até esse refúgio. Depois de caminharmos por algumas horas — eu acho, estou sem relógio! —, o clima começa mesmo a esfriar. É, o sol está sumindo no horizonte, e eu vejo algo se formando...

— Ali, Pedro. É esse o lugar que vamos chamar de "lar", pelo menos por uma noite.

— Parece... aconchegante.

Fala sério, como definir uma mistura de pirâmide e castelo de areia?

Chegando mais perto, noto que o negócio parece mais um templo mesmo, daqueles antigos, que a gente vê nos livros de história ou nos filmes de ação. Uma coisa é ver essas construções na tela do monitor, outra é ver pessoalmente. Bem, melhor tentar arrumar um espacinho seguro para nos escondermos — e, quem sabe, achar algum lugar ali que tenha mais água para enchermos os cantis. Já estou esturricado por dentro!

Quando nos aproximamos mais, reparo em algumas marcações na areia. Na verdade, elas parecem mais com pegadas... E pegadas fresquinhas. Será que alguém passou por aqui?

— Rezende... você está vendo o mesmo que eu, cara? — Aponto para as partes fundas na areia.

— Pedro, respira fundo, prende o ar e vem atrás de mim. Se for o que eu estou pensando, não tenho tempo para explicar tudo — responde Rezende, bem sério. — Lembre o nosso treinamento.

Sigo as instruções sem questionar. Se ele, o Rezende virtual, dissesse que era para eu atravessar o deserto plantando bananeira, eu com certeza acharia estranhíssimo, mas faria. Se é para prender a respiração e ir atrás dele, vamos nessa!

Em sincronia, como treinamos com o Gulov, vamos pisando devagarzinho, evitando as pegadas. Só que, mais perto da entrada do templo de areia, vejo que uma delas fica mais funda. Imagina um redemoinho de areia. Imaginou? É o que eu estou vendo! Mano do céu, se eu já não estivesse prendendo a respiração, aí é que ia fazer isso mesmo!

Rezende vê o mesmo que eu. Ele só consegue olhar para mim e dizer uma única palavra:

— Corre!

Sabe como é sair desembestado pelo deserto, correndo pela areia, com uma mochila pesadona, morrendo de sede e sem saber do que você está fugindo? Então, eu sei!

— Não olha pra trás! Nem pros lados! Vamos na direção da entrada do templo! Rápido, Pedro! — grita meu amigo.

Cara, você pode me pedir qualquer coisa, menos para não olhar para algo. Como é que fica a minha curiosidade? E se eu der uma olhadinha rápida para trás... assim, como quem não quer nada, enquanto eu corro?

Vou olhar! Vou olhar! Estou olhando... Ai, socorro! Não devia ter olhado. Tem um exército de aranhas correndo atrás da gente! Eu sempre achei que elas fossem lentas, mas na verdade elas correm pra caramba!

— Rezende, pelo amor de Deus! De onde saíram essas aranhas? — grito para meu comparsa, que já está bem na frente, graças à minha olhadinha curiosa.

— Pedro, eu falei pra você não olhar! Perdemos a sincronia! Rápido! — berra Rezende, já quase alcançando a porta do templo.

Acho que nem se o Homem-Aranha desse uma festa de arromba ia ter tanta aranha de verdade reunida. Corro, tentando não pensar no que aconteceria se uma delas me alcançasse. Então, provando que tudo que a gente mentaliza acontece, uma aranha enorme roça uma de suas oito perninhas em uma das minhas duas perninhas.

Aí eu me apavoro. Aí me dá nervoso. Cara! Eu não sabia que perninha de aranha quadrada podia ser tão cabeluda! Essa monstrinha tem mais pelo na perna que o meu pai! Enquanto eu começo a tremer de nervoso, ela chega ainda mais perto. Estou correndo, juro que estou, mas agora a aranha está na vantagem! Pareço os retardatários dessas corridas e maratonas que passam na TV!

— Pedro, corre mais rápido! Falta pouco! — fala Rezende, empurrando a porta para entrarmos antes que a gente vire comida de aranha.

É aí que piso em uma das pegadas. E de lá sai uma aranha maior ainda. Uma aranhona. Comparando com a que passou a perna em mim — literalmente! —, essa está mais pra uma mãe gordona, e a outra, pra filha criancinha.

— Ela vai me devorar! Vou virar ração de aracnídeo, Rezende! — grito, já desesperado com o monte de patas me perseguindo. Fecho os olhos e repasso minha vida até ali, que nem um filme.

— Pedro! Abaixa! — Escuto a voz do Rezende, e vejo quando ele brota na minha frente com a espada em punho.

Rezende salta e crava a arma bem no cabeção da aranha gordona, que começa a se contorcer enquanto ele pega minha mão e sai correndo. As outras aranhinhas veem a aranhona estrebuchando e aceleram o passo. Mas, como agora retomamos a sincronia, basta nos jogarmos contra a porta que ela se abre no mesmo minuto. Rolamos pelo chão enquanto a passagem se fecha atrás de nós, nos protegendo da ameaça do lado de fora. Sem fôlego, não consigo nem levantar. Rezende respira fundo e olha bem sério para mim.

— Eu não falei que não era pra olhar? Se você quer sair vitorioso desta missão, vai ter que me ouvir mais, Pedro!

É, eu vacilei. Por mais que eu seja especialista neste jogo, o Rezende virtual mora aqui, neste universo. E ele sabe mais das coisas do que eu. Minha curiosidade quase pôs nossa missão em risco. Só tem uma coisa a fazer:

— Rezende, foi mal. Você tem razão. Eu arrisquei tudo por curiosidade. Isso não vai acontecer de novo. Até porque eu preferiria ter ficado sem sentir a perna cabeluda de uma aranha quadrada encostando em mim! — respondo, arrancando risos do meu amigo.

— Ah, Pedro, está tudo bem agora. Já passou. Mas, por favor, vê se fica mais atento e me ouve — pede Rezende, já mais tranquilo. — Agora vamos procurar água? Salvar você estando com sede já me fez perder um coração de vida!

Da entrada, admiro o salão onde estamos. Como pode isso tudo ser de areia, gente? Pego uma das tochas da mochila, acendo, e algumas sombras se formam: vejo que o lugar tem várias portas e que felizmente tem espaço nas paredes para a gente improvisar uma iluminação ambiente.

— Ei, Rezende. Você já esteve neste templo antes? Conhece a área direito? — pergunto, sem esconder a curiosidade.

— Olha, como eu explico? — Ele pensa um bocado antes de responder: — Sim, já estive aqui algumas vezes. Vim para ver se encontrava algum sinal dos nossos exploradores.

— E aí, conseguiu achar alguma coisa?

— O que eu consegui investigar repassei para o Gulov. Uma coisa me deixou bem intrigado: a cada vez que eu visito o templo, é como se as coisas tivessem mudado de lugar — responde ele, fazendo uma cara de encafifado.

— Sério? Como é que é isso?

— Ah, cara... Teve uma vez que o salão com a fonte estava a duas salas para o norte, a partir da entrada. Na outra vez, fui direto pra lá, crente que ia encher o cantil, e encontrei uma sala com um altar esquisito — conta Rezende. — É como se as salas *trocassem de lugar* a cada visita, sabe?

— Hummm, sei. Acho que entendi.

Lembro todas as vezes que construí e remexi meus próprios cenários no jogo. Eu vivia trocando as coisas de lugar, e me pego pensando se não tenho uma parcelinha de culpa nisso tudo. Ou será que é a magia existente neste tipo de lugar que faz tudo ficar mudando? Ou quem sabe não são tempestades de areia que derrubam as paredes? Ah, melhor não ficar pensando demais nisso. De qualquer forma, nem eu nem Rezende conhecemos a planta desta construção. Estamos no mesmo barco!

— Rezende, você disse que da primeira vez o salão com a fonte estava a duas salas para o norte, a partir da entrada, mas onde estava na segunda vez? — Quando eu começo a pensar, ninguém me segura!

— Estava na porta bem do lado! Por quê?

— Se as salas forem pulando de lugar um por um, existem grandes chances de a fonte ainda estar por perto da sala da primeira vez. Acho que vale arriscarmos seguir esse mesmo caminho, em vez de tentarmos abrir várias outras portas antes. Deve ter umas cem, aqui! Se bobear, uma delas até dá direto no meu quarto no mundo real, vai saber — explico, mais uma vez fazendo o Rezende rir. — Agora, se elas se alternarem aleatoriamente, estamos ferrados mesmo. Mas não custa tentar, não é?

— Você tem razão. O que temos a perder? Pelo menos já estamos aqui dentro, protegidos do frio e das aranhas.

Pego uma das tochas, e nós dois atravessamos o salão principal. No corredor à frente, vejo alguns baús. Opa: será que nossa preciosa água está mais próxima do que imaginamos?

Parece que o Rezende lê meus pensamentos.

— Quer abrir um desses baús, cara?

— Peraí, é pegadinha? — Como dizem por aí, quando a esmola é demais, o santo desconfia!

— Depende da sua sorte! Quer arriscar? — pergunta o Rezende.

Bom, o que tenho a perder, não é mesmo? Abro um dos baús e um fedor pavoroso toma conta do ambiente.

— Carne podre! Caramba, por que faz isso, Rezende? — reclamo, fechando o baú no mesmo segundo.

Ele gargalha.

— Não foi dessa vez. Mas, olha, podemos tentar mais um. Um raio não cai duas vezes no mesmo lugar, não é?

— Então agora vou escolher um dos baús do fundo. Pensa comigo: se tiver algo valioso por aqui, tipo um tesouro, quem guardou não ia pôr no primeiro esconderijo que visse, não acha?

— Pedro, até que você é esperto, sabia? — comenta o Rezende, já seguindo à frente com a tocha.

Decido arriscar mais uma vez e abrir outro baú, rezando para não ter carne podre de novo, é claro! Abro e... encontro várias flechas, uma barra de ouro e uma espécie de papel enrolado, que nem aqueles do Egito Antigo. Véio, que doido!

— Tô rico! Uma barra de ouro quadrada! — Comemoro com uma dancinha da vitória.

— Ah, Pedro. Você nunca leu histórias de pirata? Você pode até encontrar o tesouro, mas dificilmente vai sair do navio com ele. Pelo menos as flechas podem ser úteis enquanto estamos aqui dentro! Estava torcendo para que você encontrasse isso mesmo — diz Rezende.

— Cara, se você vivesse no meu mundo, tenho certeza de que ia adorar ganhar meias de presente de Natal. Quem é que prefere flechas a uma barra de ouro? Tá maluco! — É impossível não provocar meu amigo virtual. Sabe como é, perder a piada, jamais!

— E esse papiro aí? Vamos dar uma olhada.

Rezende estica a mão e pega o papel.

Desenrolamos o papiro juntos, e mal dá pra acreditar no que está escrito ali. Um monte de letras que não fazem o menor sentido! Foco, foco, eu preciso de foco. É uma charada que eu tenho que decifrar!

— Alguma ideia do que isso quer dizer, cara? — pergunta Rezende.

Pego o papiro, olho contra a luz, coço a cabeça, faço cara de conteúdo... E nada. Mas peraí. Peraí, Brasil! Pode ser loucura minha, mas...

— Eu sei o que isso quer dizer! Uhul! — Comemoro como se não houvesse amanhã, ou sede, ou aranhas desgovernadas lá fora.

— O que é, então? Será que é um documento dos homens quadrados das cavernas? — Rezende fica pensativo mais uma vez.

— Não, cara. É um mapa! E um mapa no deserto só pode levar a gente pra onde tem água! Repara na sequência de letras: W, S, A e D. Pra frente, pra trás, esquerda e direita. Tem um monte de W, S, A e D aqui. Você não sabe disso porque vive no universo do jogo, mas eu, que vim do mundo real, sei exatamente o que significa. Agora é você quem me segue! — Acho que o Einstein deve ter se sentido assim quando elaborou a Teoria da Relatividade. Estou me sentindo um gênio!

— Brother, você é demais. Peraí... Isso significa que eu sou demais também? — Rezende faz piada, e nós dois caímos na gargalhada. Mas a tosse que vem em seguida me lembra de que nossa garganta está seca e de que precisamos de água!

Vamos lá, Pedro, hora de decifrar essas letrinhas. Dois passos pra frente, um pra direita... Mais três pra frente, e outros tantos pra esquerda...

— Por acaso o mapa indica essa porta da esquerda? — pergunta Rezende.

— Cara, acho que sim, sabia? Por quê?

Será que o Rezende tem um quê de Gulov?

— Porque, pelos seus cálculos, era aqui que estaria a fonte mesmo! O que o mapa diz? Vamos entrar logo, cara!

— Calma, calma, calma! A sequência não terminou. Acho melhor abrir a porta com cuidado. Pode ser? Em um, dois...

— Três! — grita Rezende, dando um bicudão na porta.

Lá dentro, vejo que uma ponte estreita suspensa sobre um abismo leva diretamente até a fonte. Não sei se é por causa da sede, se estou delirando ou se é tudo efeito de alguma magia, mas a água jorra de uma fonte no meio de um monte de areia! Como pode isso? Mas preciso de foco outra vez. Atenção, Pedro! As letras continuam em sequência.

— Rezende, vem comigo. Um passo pra direita... Dez pra frente... Um pra esquerda e mais quinze em frente, até chegarmos ao fim da ponte. Fechou? Partiu?

— Bora, cara!

Seguimos exatamente como o planejado. Ultrapassamos a ponte e estamos perto da fonte. Água é bonita, não é? Água é gostosa... E nós estamos tão perto...

— Pedro, não sei você, mas eu vou deitar e rolar nessa fonte! — diz Rezende, já correndo em direção ao nosso oásis milagroso.

Decido correr também, mas antes dou uma última olhada nas instruções. Peraí... Tem mais letrinhas aqui! Sabe quando naquelas séries de comédia alguém grita "Nãããão!" e o outro já está em câmera lenta fazendo uma burrada? Então, essa é a nossa cena! É só o Rezende pisar fora do lugar para, do nada, surgirem uns esqueletos na frente da fonte! Caramba, tá osso, hein? Sem trocadilhos, juro!

— Pedro! Meu Deus do céu, o que são essas caveiras? — Rezende é pego de surpresa, coitado! E largou a mochila com as armas para trás!

Parece até filme de zumbi: o Rezende parado e um monte de caveiritos saindo da areia e andando devagarzinho na direção dele. Pensa rápido, Pedro, pensa rápido!

— Rezende! Abaixa e cuidado com a chuva! — grito, sem nem piscar.

— Que chuva, Pedro? Pirou?

— A chuva de flechas e de ossos que vai rolar agora! — respondo, muito confiante no plano que criei em cinco segundos.

Com as flechas que achei nos baús, consigo mirar, atirar e quebrar as caveiras! Um, dois, três, quatro, cinco no chão! Amigo, aqui não é lugar de morto-vivo, não! Volta pra debaixo da terra, meu querido!

Faltam duas caveiras, e eu só tenho mais uma flecha. Acho que o Rezende percebeu que a situação está tensa, porque ele logo grita que eu consigo. Bom, vamos lá. Se der certo, estamos a salvo!

— Um, dois, três e... — conto mentalmente e fecho os olhos.

E não é que a última flecha ligeira faz voar os ossos de dois esqueletos de uma vez só?

— Cara, você foi demais! Parabéns! — Rezende me abraça enquanto seu rosto volta a ter alguma cor.

— Rezende, estamos juntos nessa! Mas será que agora a gente consegue beber água?

— É pra já, herói!

De roupa e tudo, entramos na fonte, bebemos água e enchemos os cantis, finalmente! Agora vai: depois de matarmos quem estava nos matando, já dá até para sair desta sala e montar o acampamento nos corredores do templo.

Que canseira passar por todas essas provações neste maldito lugar, hein... Pegamos no sono, os dois, em questão de segundos. E o Rezende tinha razão: se aqui dentro está frio, que dirá lá fora! Até aproveito para usar o gorrinho da vovó dos gatos. Mas não podemos dormir a noite toda: antes de o dia amanhecer precisamos seguir jornada. Depois de um bom cochilo, com direito a um jantarzinho feito na fogueira para amenizar o estômago vazio, voltamos a seguir em direção ao destino final. Pelo menos agora que a gente entendeu melhor como as coisas funcionam por aqui, achamos o que parece ser uma porta dos fundos do templo. Fica ao sul — pelo menos eu acho que é o sul — e começa a se abrir lentamente para a nossa saída.

O negócio está tão devagar que até parece um daqueles programas de televisão que ficam fazendo suspense sobre que prêmio o participante vai ganhar. Aff!

Lá fora, vejo quatro colunas bem finas dos lados da porta. Depois de atravessar a passagem, Rezende observa as pilastras, olha para cima... e se volta para mim com uma cara de susto daquelas.

— Pedro... Desculpe. Está vendo aquele corredor lá na frente? — Ele indica para dentro do templo de novo. — Corre como se a sua vida dependesse disso. Aperta o passo e não olha pra cima.

— O que é, hein, Rezende? Não vem dizer que é mais aranha! Desse jeito eu vou ficar traumatizado.

— Rapaz... Você ia *preferir* que fossem as aranhas — diz Rezende, com toda a seriedade do mundo. — Essa ameaça é *muito* pior, e desta vez a culpa é toda minha. Como fui cair nessa? Corre!

As quatro colunas começam a se mexer devagarzinho... E não são colunas, são pernas! Eles parecem gente, mas não são. Já sei que ficar para lutar não vai ser bom negócio, não. Bora ativar o modo maratonista. Hora de vazar daqui!

Todo mundo sempre diz que se tem alguém querendo partir pra cima de você, é melhor não encarar, não provocar. Só que no jogo eu fazia isso direto. Agora que minha vida está em risco, é ruim de eu bancar o herói... Melhor guardar a valentia para o dragão! Começamos a correr e finalmente deixamos aqueles humanoides de braços e pernas gigantes para trás.

À medida que nos aprofundamos nos corredores em busca de outra saída, pedaços quadrados de vários elementos — areia, grama, gelo, pedra — se materializam em pleno ar, flutuando e obrigando a gente a se esquivar, pular, escorregar, fazer de tudo para sair do alcance dessas criaturas sinistras. Ficar para trás seria nosso fim!

— Olha, olha, Rezende, estou vendo uma luz lá longe!

— Que beleza! É a saída! — comemora Rezende.

— Agora é só a gente conseguir fugir do templo, que esses monstros não vão perseguir a gente pelo deserto!

Corremos pela nossa vida e nos esquivamos dos blocos aleatórios. Mas quando estamos prestes a sair pela porta... o chão se abre, e começamos a cair!

— AHHH!!!!! ME AJUDA, REZENDE!

— EU TAMBÉM TÔ CAINDO! AHHHH!

Nossa queda termina com um mergulho. Parece um rio subterrâneo! No meio do deserto? A esta altura do campeonato, eu nem sei se quero entender o que está acontecendo!

— Segura a minha mão, Pedro! — grita Rezende, apontando para a frente. — E vê se prende a respiração, acho que vamos af...

Eu pego a mão do Rezende, e ambos afundamos em uma espécie de corredeira subterrânea... Será que este é o nosso fim? Eu não vim de tão longe para morrer afogado! Minha consciência começa a vagar, e eu vejo uma luz. É, parece que é o meu fim... Então, do nada, nós dois emergimos em um pacífico laguinho.

Sobrevivemos à provação do templo, e fica a lição pra vocês: nunca façam bullying, nem em games, porque um dia um monstrengo enorme pode querer te dar o troco.

CAPÍTULO 10

Chegando à margem do lago, derrubamos uma árvore e construímos um barquinho para atravessá-lo. Então, como já estamos com a mão na massa, cada um aproveita e faz uma vara de pescar. Vai que bate aquela fome e a gente quer comer algo diferente do que trouxemos para a jornada? Ah, e remos. Não podemos nos esquecer dos remos.

Engraçado: lá do mundo real, esses lagos do game nunca me pareceram tão grandes. Deve ser um daqueles truques que a cabeça prega na gente... Sabe a expressão "tudo é relativo"? Então. As definições mudam dependendo do ponto de vista.

Por exemplo, se alguém me dá uma panela com água e pergunta: "Pedro, me diz se a água está quente?", o que eu respondo? Depende. Se a ideia é fazer chá, de repente ela está quente o suficiente; agora, se é para tomar banho, talvez esteja quente demais; e, se for para fazer cubos de gelo, aí claro que está quente demais (afinal de contas, quem é que esquenta água para fazer gelo?).

Um exemplo meio besta, mas dá para entender!

E o lago, então? É grande? Se é só para olhar, não. Para atravessar remando, é. E suponho que, para atravessar nadando ou contornar a pé, ele pareça enorme.

Bem, deixando esses comparativos doidos de lado, é melhor focar na hora de remar em sincronia com o Rezende. Porque se um de nós dois errar o tempo da remada, vamos ficar navegando em círculos. Então, o treinamento com o Gulov foi ainda mais útil do que parecia.

No meio do caminho, damos uma paradinha para descansar. Nada como tentar a sorte na pescaria em uma água fresquinha e... o Rezende consegue um peixão de primeira! Esse cara é bom mesmo!

Já eu consigo uma lindíssima — e única — bota de couro que estava presa no fundo do lago. Para completar a maré de azar na pescaria, em vez de conseguir a outra bota para formar um par, pesco um peixe. Bem, pelo menos dá para comer o peixe, e, no fim, a bota nem parecia ser do meu tamanho. Se bem que aqui não tem esse papo de tamanho de roupa, não é?

Enfim... pequenas vitórias, Pedro. Pequenas vitórias.

Continuamos remando pelo lago — e a outra margem fica cada vez mais próxima... Até que foi um bom negócio pararmos para fazer um barquinho! Às vezes, um esforço a mais no começo economiza um trabalhão no futuro... Fica a dica!

Ao terminarmos de cruzar o lago, amarramos o barquinho a uma árvore e vemos uma caverna na encosta da montanha.

— É, Pedro, parece que daqui não tem mais volta — constata Rezende, em tom sério. — Tem certeza de que está pronto para continuar a missão?

— Até parece que você não me conhece. Eu *nasci* pronto. Ou quase. Enfim, estou treinado e me sentindo pronto.

— Bem, se sentir pronto já ajuda, e muito. Tanta gente já sucumbiu por aqui que dá para fazer uma aldeia com os ossos deles.

Quando olho para os arredores da entrada da caverna... É, de fato, tem algumas pilhas de ossos. E parecem ossos de gente. Respiro fundo, olho para a caverna e respondo:

— Eu não vim de tão longe para virar uma pilha de ossos em um mundo desconhecido, cara. Se é pra fazer, vamos fazer direito. — Então, seguro o cabo da espada. — Vamos nessa, que eu tenho um papo bem sério para trocar com certo dragão.

— É assim que se fala, companheiro! Mas não se deixe enganar: o que aconteceu até agora nem se compara ao que vem pela frente. Se você já estivesse treinado quando eu salvei sua pele, acho que teria dado cabo dos monstros com facilidade. Mas aqui é bem mais perigoso. Tenha coragem, mas, antes de mais nada, tenha cautela.

— Tudo bem, Rezende. Uma vez eu ouvi dizer que "herói é aquele que não conseguiu fugir". Estou aqui pra desmentir essa frase, ou ser a exceção à regra.

— Seu coração está com as intenções certas. Isso já é meio caminho andado. Vamos lá?

— Bora! Dá tempo de fazer um lanchinho antes? O padeiro descolou uns pães que pareciam bem gostosos.

— Então, má notícia: acho que o pão estava quase mofando. Provavelmente foi por isso que ele deu pra gente. Ou talvez não tenha sido por maldade. Vai ver ele só ficou sem graça de não ter nada para dar.

— Ah, cara, alguma utilidade esse pão vai ter. E se a gente fizer uma trilha de migalhas pelas cavernas, para não se perder? Li isso em um livro e achei uma ideia incrível... Bem, isso ou desenrolar um barbante, mas acho que não temos nada parecido com barbante aqui.

— Claro, claro. O que você achar melhor.

— Então é migalha de pão pelo caminho, e *vamo que vamo*.

Que lugar mais tenebroso! Acho que nunca joguei em um lugar com clima tão pesado. Então, eu me lembro de uma coisa: quando jogo em casa, dá para regular o brilho do monitor e o *gamma* nas configurações do jogo. Aqui, meus amigos, é o mundo real. Ou virtual. Enfim, não faz diferença: aqui não tem regulagem nenhuma. O jeito é descer com tochas em punho e torcer pra dar tudo certo.

À medida que descemos, dá para ver os resquícios dos que falharam. É como visitar um livro de história. Restos de acampamentos, pilhas de cinzas que devem ter sido fogueiras, restos de comida (basicamente, ossos, cascas de ovo e afins). Até me sinto meio mal de espalhar migalhas pelo caminho; será que é mancada deixar mais sujeira pra trás? Bem, tomara que nenhum bicho coma as migalhas...

Andamos mais um bocado, e a temperatura do lugar não para de aumentar. Chegamos a outro acampamento abandonado. Então percebo algo brilhante no chão. Parece uma pulseira de prata... e tem um nome gravado nela: Marina.

— Aaaaaah, eu me lembro da Mariiiiiina — diz, do nada, uma voz cavernosa. Viro para trás, vejo um borrão azulado em forma humanoide e solto um grito que deve ter ecoado até em Londrina.

— AHHHHHHHHH! UM FANTASMA! ME AJUDA, REZENDE!

— Nãããããão, Pedro. — A imagem azulada fica mais nítida, e é ninguém menos que... Gulov.

— POR QUE FAZ ISSO, GULOV? — berro, depois de quase sofrer um ataque cardíaco.

— Bem, eu aviseeeei, jovem. Eu *disse* que estaria com vocês em espírito, não diiiiiisse?

Ah, Gulov, seu miserável. E não é que ele realmente disse?

— Eu pensei que era só um jeito de falar! Tipo quando você pede informação pra alguém na rua e te dizem: "Ó, vira na esquina tal e segue em frente toda a vida." Não precisava chegar fazendo cosplay de Obi-Wan Kenobi fantasmagórico, ok?

Olho para o lado e vejo Rezende se segurando para não rir. De repente, ele quebra o silêncio com um risinho.

— Ah, Pedro, o Gulov é assim mesmo. Você já devia ter se acostumado.

— É verdade, Rezende. Mas e aí, Gulov? Está fazendo o que por aqui, além de me dar susto e me fazer ficar branco igual a um fantasma?

— Nada de mais, rapaaaaaaaaz. Só lembrei que a Marina era a líder da expedição original que encontrou o dragão. Ela deve ter deixado isso para trás sem querer. Ah, Mariiiiiina. Tão dedicada! Ela era muito respeitada entre os sábios e uma das figuras mais queridas do vilarejo. Pena que morreu tão cedo.

"Entendi... bem, acho que vou guardar isso", penso. Como a pulseira deve ter sido importante para ela, eu a guardo junto a algo de valor para outra pessoa: a joia acaba virando um pequeno colar para a Boneca Sem Nome.

— Muito bem, aventureeeeeeiros. Continuem sua saga. Contamos com vocês!

Pouco antes de terminarmos de agradecer, o Gulov desaparece em pleno ar. Como o Rezende bem disse, eu já deveria ter me acostumado com as traquinagens do velho sábio.

Acho que minha mente está começando a me pregar peças. De vez em quando, posso jurar que algum bicho está me seguindo das sombras — mas, quando me viro com a tocha, não vejo nada. Só estamos eu e o Rezende aqui, e sei que não é ele espreitando.

Depois de descer mais um bocado, chegamos a um dos lugares mais quentes que já visitei... mas também, no mundo real, eu nunca entrei em uma caverna com rios e lagos de lava.

— E aí, Rezende? Lembrou de trazer o gorrinho para o frio que a vovó te deu?

— Pedro, uma coisa eu tenho que dizer: se existe alguém que consegue rir na cara da adversidade, esse alguém é você.

Esta andança está me deixando cada vez mais faminto, então usamos a natureza para garantir o rango. Quando eu voltar para casa, vou poder tirar onda com os amigos, perguntando: "Vocês já comeram carne de porco assada? Ah, ok. Gostoso, não é?

E carne de porco assada no calor de lava vulcânica? Não, né? Ahhhhh, que coisa."

Depois de dar uma tapeada na fome, continuamos o caminho entre passarelas de pedra bem estreitas, que lembram pontes, e é então que eu me toco: são pontes mesmo. Tudo está tão certinho... Isso também deve ter sido obra das expedições anteriores. Que bom — economizamos o tempo de cavoucar a pedra e construir uma ponte. Obrigado, aventureiros do passado!

Após atravessar uma delas, vemos rabiscos na parede da caverna ("O dragão é uma mentira", "Se alguém achar minha pulseira, favor devolver no vilarejo...", sendo que a última palavra, o nome do vilarejo, está coberta por vários outros rabiscos malucos de outras pessoas) e mais um caminho que, felizmente, não é mais em descida.

Já estou cansado... BEM cansado. Vejo um muro de pedra escura, meio inclinado, e penso: "Vou encostar é aqui mesmo, porque eu preciso dar uma paradinha".

— Rezende — chamo —, você se importa de a gente fazer uma pausa? Preciso dar uma respirada, tomar uma água. A gente tem água, certo?

Rezende começa a responder, mas de repente para de falar.

— Cara, não me diga que você bebeu toda a água. Vai ser a maior trabalheira conseguir mais.

Rezende continua me encarando, estático. Então, olha por sobre meu ombro e abre a boca, mas não consegue falar uma palavra. Olho para o lado e vejo um enorme cubo arroxeado.

— Rezende... os muros deste mundo têm olho? Por tudo que é mais sagrado, diga que *os muros deste mundo têm olho.*

CAPÍTULO 11

Uma da manhã. Todos dormem em Londrina, mas João acorda, sonolento, com calor e com sede. Depois de um dia cheio em um evento de games com o irmão, RezendeEvil — para ele, Pedro, o palhaço, zoador, filho da mãe e outros adjetivos não tão bacanas —, João quer dormir e então dormir mais um pouco. Já está cansado, e quer sair atrasado para a escola, porque a vida é muito curta para chegar na hora da aula todo dia.

Mas agora ele tem sede. Sede! Cadê o copo d'água ao lado da cama? Droga! Isso é coisa do Rezende. A esta hora, João vai ter que se levantar e ir à cozinha. Sem fazer barulho. Sem acordar ninguém. E sem seguir o exemplo do irmão: se mais um vaso desta casa for quebrado, é capaz de sua mãe aproveitar e quebrar outra peça na cabeça dos dois. Melhor ter cuidado.

Descalço, um passo de cada vez, João vai até a cozinha. Tonto de sono, é verdade. Mas preocupado em não fazer barulho. Pega o copo. Põe no filtro. Liga o filtro. Pisca por dez segundos. Quase dorme em pé. Até sentir algo gelado no dedão: o copo transbordou! E a água está geladíssima. Tão gelada que João enfim acorda. De verdade.

Voltando para o quarto com o copo na mão, João pisa com cautela. Então se lembra do vídeo de outro dia, em que Rezende lhe deu uma bela trollada: jogou água em seu ouvido e o fez cair da cama com o susto.

E se ele desse o troco? E se finalmente fosse o dia da caça? Por essa Rezende não esperaria. Quem com trollada fere, com trollada será ferido. É hora de ele provar do próprio veneno: água gelada no ouvido enquanto dorme.

A caminho do quarto do irmão, João passa pela antiga biblioteca do pai. A porta está fechada, mas ele vê a luz acesa.

"Droga", pensa João. "É a luz do monitor. E, pelas cores que dá para ver aqui de fora, o Rezende está jogando."

Bom, já que a trollada teria que ficar para amanhã — pois qual seria a graça de jogar água no ouvido de alguém acordado? —, não custava nada dar uma olhadinha no jogo. De repente ele podia estar gravando um vídeo interessante. Uma aventura nova, talvez. João caminha devagar e abre a porta. Bebe um pouco de água e vê que o computador, de fato, está ligado no jogo. Mas não encontra Rezende ali.

"Ih, ele foi dormir e esqueceu o computador ligado", pensa João. "Acho que vou dar uma olhadinha…"

CAPÍTULO 12

Sabe quando você está prestes a fazer aquela viagem que planejou por muito tempo, passa semanas organizando o que precisa levar, acha que está tudo no esquema, mas então, no meio do caminho, percebe que levou menos pares de meias do que deveria? Ou que se esqueceu de separar a escova de dentes e está longe demais da civilização para comprar outra?

Isso é *ruim*, mas é só um incômodo. Um contratempo, um deslize, um vacilo.

Agora... quando você está visitando um mundo virtual de videogame, faz uma jornada gigantesca passando frio, fome e sede e ralando pra caramba para aprender as técnicas a fim de se tornar um guerreiro... aí encosta numa parede e descobre tarde demais que aquilo é um ser vivo que poderia palitar os dentes com seus ossos... ah... isso sim é uma roubada.

Acho que estou passando tempo demais neste mundo e já comecei a me acostumar com as coisas todas quadradas. O bicho é enorme, de pele cinza--chumbo, olhos roxos e brilhantes como lâmpadas de LED... e cara de quem não está nem um pouquinho feliz de receber visitas.

Lentamente, o monstrengo se afasta pela caverna, que está cheia de cacarecos e restos dos exploradores que não tiveram a sorte de voltar vivos... No fim do caminho, ele chega a uma cratera que, se estivesse cheia de magma, poderia ser um vulcão... Então, abre as asas e começa a falar.

O problema é que ele emite uns sons que parecem um idioma que eu nunca ouvi. Olho para Rezende, que se vira para mim e dá de ombros.

— É, Pedrão, vou ficar te devendo essa. Não entendo nada do que ele está falando.

De repente, um brilho azul e uma voz brotam do ar novamente:

— Tudo beeeeeem, rapaaaaaaaaaaaazes. Deixem comiiiiiiigo.

— AI, VELHOTE MISERÁVEL! Quer me matar do coração, é? — respondo ao Gulov-Fantasma, que deve se divertir um bocado à minha custa.

— Caaaaalma, Pedro. O dragão está falando em uma língua que a humanidade esqueceu há muito tempo... Felizmente, eu entendo o idioma.

— E consegue traduzir pra gente, sábio?

— O que eu não consigo fazeeeeer... utilizando mááááággica?

— Hã... Tá, valeu, já ajuda. Consegue deixar o monstrengo com uma voz mais legal do que essa? De repente com vozeirão de tenor? — pergunto ao Gandalfinho mais amado do Brasil. Ou não.

— Agora meeeeeeeesmo — responde ele, sem hesitar.

E, como em um passe de mágica (até porque foi exatamente isso que o Gulov disse que ia fazer), sinto como se meus ouvidos tivessem recebido um upgrade: finalmente consigo entender o dragão! Sem contar que esta é outra novidade: eu não sabia que os dragões do jogo falavam, até porque no jogo nada tem voz.

— Rezende, você também consegue entender o que o chefão está falando? — pergunto ao meu brother.

— "Chefão"? Chefe de quem? Isso não é escritório nem fábrica — responde Rezende, que pelo visto nunca ouviu falar que, nos jogos, o vilão é conhecido como chefão.

— Tá, tá, é só forma de falar. Estou querendo dizer o dragão.

— Consigo — responde Rezende, parecendo estar com os nervos à flor da pele.

Então, o monstro gigante abre as asas e diz:

— Mais aventureiros para decorar o meu covil. O que vocês acham que estão fazendo aqui?

— Dragão, seu tempo de tocar o terror está prestes a acabar! — grita Rezende, em um tom tão heroico que eu juro que pareceu até um personagem de filme de fantasia. — Meu povo está farto de viver com medo, só sobrevivendo aos seus caprichos. Isso acaba aqui!

— É isso aí — completo, me sentindo o coadjuvante menos inspirado de toda a História.

O dragão para um instante e percebe que formamos uma dupla.

— Ora, ora, isso só fica mais e mais interessante — diz ele, em tom de zombaria. — Então quer dizer que vocês também acreditam na profecia de que tanto falam? Tolos, todos vocês.

— Ô, peraí! "Tolos", não, senhor! — respondo. — Que papo é esse? A gente teve um trabalho absurdo pra chegar até aqui, e só porque você é enorme e assustador não quer dizer que tem direito de ficar zoando com a nossa cara!

A risada zombeteira do dragão reverbera pela caverna.

—Você não sabe nada, Herói Duplo — diz o monstro.

— Hahaha! "Você não sabe nada"! Rezende, isso me fez lembrar uma série que...

— Presta atenção, Pedro — interrompe Rezende. — Como assim, não sabemos nada?

— Por que acham que eu estou aqui? Pensam que estou só tomando conta de uma portinha para vocês não passearem entre as dimensões? — devolve o monstrengo.

Olho para Rezende.

"É, pelo menos foi isso que contaram pra gente", penso.

—Vocês realmente acham que eu pertenço a este mundo? — pergunta o dragão. — Assim como um de vocês, sou de um universo paralelo. Eu vim parar aqui depois de atravessar um portal que surgiu na minha dimensão... A passagem desapareceu, e eu fiquei preso neste lugar. Por todos estes anos venho procurando uma passagem de volta para o meu mundo... E encontrei no coração deste vulcão. Nela, vi a chance de sair daqui!

Olhamos para além do dragão e enxergamos o portal.

— Você só pode estar de brincadeira — comento. — Por ali não passa nem sua unha. É muito pequeno pra você!

— Disso eu já sei, tolo. Só que, durante todos os anos que passei aqui, percebi o que faz o portal mudar de tamanho: almas virtuais. A cada vilarejo que eu reduzo a cinzas, a cada grupo de exploradores incautos que eu incinero, a passagem cresce.

— Seu monstro! — exclama Rezende. — Nem eliminando *todas* as formas de vida deste mundo você conseguiria deixar o portal grande o suficiente para passar!

Do nada, um grande brilho azul aparece, e o Gulov surge em espírito.

— Aaaaaaaah, dragão! Novameeeeeeeente nós nos encontramos!

— Gulov, seu velhote decrépito. Não tem coragem de vir aqui pessoalmente, não é? — responde o dragão.

— Você é uma criatura muuuuito teimosa — diz o Gulov, com uma pontinha de decepção na voz cavernosa. — Eu já falei a você várias vezes, mas vou repetir: atualmente, somente eu consigo transitar entre os mundos usando esse portal, com o auxílio da minha magia. Fiz isso várias vezes, e você nem percebeu. Além disso, dragão, o portal não leva ao seu mundo de origem. Do outro lado está o mundo do Pedro, que não é lugar para você.

Então acontece o que mais parece um milagre: o dragão falastrão fecha a boca. Mas, segundos depois, volta a abrir para dizer:

— Estou farto disso. Farto! — O tom, antes de zombaria, dá lugar ao rancor: — Se eu não posso voltar à minha dimensão e desperdicei a vida tentando expandir esse maldito portal, talvez seja melhor simplesmente fazer deste mundo meu novo lar.

— Só passando por cima do meu cadáver! — grita Rezende. — A gente não pode simplesmente esquecer o terror que você causou, todas as vidas que destruiu. Só a ideia de ter uma criatura como você no nosso mundo é intolerável. Você já trouxe muita dor, e isso precisa acabar.

O dragão para, pensa e responde:

— Tem razão.

Como é? O dragão concordou com a gente?

— Se não podem conviver comigo, eu não posso conviver com vocês — diz o monstrengo. — Seu destino acaba de ser selado.

Eu, Rezende e o Gulov-Fantasma nos entreolhamos. Lentamente, estico a mão para a empunhadura da espada... E Rezende imita o gesto.

— A era dos humanos no mundo virtual acabará sob meu sopro de fogo. Agora, quero que me mostrem do que são capazes!

CAPÍTULO 13

Quem diria: em um segundo, eu estava num centro de convenções trocando ideia com o pessoal que gosta de assistir aos meus vídeos na internet. E agora estou *literalmente* cara a cara com um dos monstros mais sinistros do meu jogo favorito. A diferença é que, desta vez, eu posso usar a palavra "literalmente". Só que agora não é hora de pensar nos caminhos esquisitos da minha vida, senão eu viro churrasquinho!

O dragão abre as asas, quase bloqueando o pouco de luz que chega na grande caverna, e começa a planar baixinho. Com uma arremetida das asas, somos lançados para trás, contra as pedras.

— Ai! Bicho miserável!

— Você achou que seria fácil, Pedro? Pra quem está de fora, pode até parecer... mas aqui o buraco é mais embaixo.

Levantamos meio baqueados, e lá está o monstro, planando baixo e fazendo cara de quem está sendo incomodado por um mosquitinho chato, daqueles que passam zumbindo perto da orelha quando se está tentando dormir. Ele faz uma expressão de escárnio.

— Vocês encontraram um destino terrível, não é mesmo?

A frase soa meio familiar, mas agora não é hora de fazer referências a outros games que eu curto. A luta é real, e percebo que vai ser difícil derrotá-lo enquanto ele estiver no ar.

— Rápido, Pedro! — grita Rezende. — Hora de usar o arco e flecha!

— É isso aí, cara! Miro nas asas?

— Sim! Parece que você lê meus pensamentos. Preparar... Apontar...

— FOGO!

Começamos a disparar o máximo possível de flechas nas asas do monstro, e isso surte efeito! Claro que o bicho não é frágil assim, mas que a gente conseguiu atrapalhar os planos dele... ah, isso a gente conseguiu!

Furioso, o dragão passa a cuspir bolas de fogo na nossa direção. O calor é de lascar! Eu me jogo para o lado e me esquivo de uma, só que logo vem outra... e, em um desses grandes momentos de coincidência e ironia da vida, ela bate em um escudo que faz parte da coleção de tesouros do covil. Salvo por outro herói do passado!

— Se liga, Rezende! Tem uns itens aqui na caverna que podem ajudar a gente!

Quando me viro para o lado, vejo alguém com um elmo na cabeça e um medalhão estiloso pra caramba no pescoço... É o Rezende, que já estava planejando pegar o que havia de útil no tesouro do dragão para sair na vantagem contra nosso inimigo. Faz muito sentido ele pensar parecido comigo, mas acabo me sentindo meio sem graça por sugerir algo que nem é mais novidade.

Então percebo que existem colunas feitas de pedra na caverna.

— Rezende, vamos ficar atrás das colunas para atirar as flechas nele pelos lados!

— Boa! Assim ele não tem como atacar os dois ao mesmo tempo — concorda Rezende, satisfeito. — Está ficando bom nisso, hein?

— É nisso que dá aprender com os melhores, cara!

Corro para a coluna do outro lado da caverna, e, enquanto o monstro cospe fogo na minha direção, o Rezende criva mais flechas nas asas dele. O bicho está cada vez mais fraco, voando mais baixo. Começamos a alternar as flechadas, até que o dragão se cansa de voar, pousa e diz:

— Humpf. Isso foi brincadeira de criança. Vocês ainda não viram nada...

Rapidamente, o monstro gira e acerta a cauda nas colunas de pedra, causando um desmoronamento! Rezende e eu somos atingidos pelos destroços, mas não ficamos soterrados. Ainda assim, dói pacas.

— Rezende! Você está bem?

— Machucou mais meu orgulho do que qualquer outra coisa. Você tem poção de cura, não tem? Já sabe o que fazer!

Quando levantamos os frascos para beber a poção, surge um imprevisto: mais pedaços de pedra caem do teto, derrubando as garrafas, e, embora elas não quebrem (videogames, viva!), o maldito dragão se aproxima rapidamente e nos impede de catar os itens.

— Parece que é o fim da linha pra vocês, tolos. Mais decorações para o meu lar subterrâneo, o primeiro de muitos lugares onde serei o rei absoluto! Agora... sucumbam sob meu poder!

O monstro se agita, dando golpes com a cabeça e a cauda e jogando a gente para perto da entrada da caverna. A vida parece se esvair de mim, e eu sinto medo. Não sei se quero descobrir na pele como é morrer em um jogo, não.

— É, Pedro... foi uma honra lutar ao seu lado — diz Rezende, em tom de cansaço.

— Rezende, esse não é o fim... certo?

Ele olha para os lados, já meio sem esperança. Então, de uma hora para outra, sua expressão muda da água para o vinho.

— Rezende? O que houve?

—Ah, eu vou te contar, que cachorro mais desobediente...

Eu me viro para onde Rezende está olhando, e ninguém menos que o Puppy está lá! Sim, o cachorro que recebeu ordens bem específicas de ficar no vilarejo com o apotecário enquanto estávamos fora... Era *ele* seguindo a gente na caverna! Que safado! Deve ter visto o caminho de migalhas que eu deixei. Olho para a coleira e... Isso! Tudo passa a fazer *muito* mais sentido! Puppy está carregando duas poções de cura completa!

— Vem, amigão! Desta vez, nada de bronca! — comemora Rezende.

Puppy corre em disparada na nossa direção. Rezende e eu pegamos uma poção cada — o rótulo diz "Força, Herói Duplo!" — e bebemos tudo em um só gole.

Nossa! Só agora percebo que não fiz isso desde que vim parar neste mundo. A sensação é incrível! É como se eu tivesse acabado de almoçar, mas sem aquela sensação de peso, ou de acordar, só que descansado e sem a moleza de quem acabou de sair da cama.

— Quem disse que os heróis precisam ser humanos? — diz Rezende, fazendo carinho no cachorro, que recua ao ver o tamanho do dragão.

— É isso aí, cara... mas agora é a *nossa* hora de mostrar que a profecia é verdadeira!

— É assim que se fala! Pronto?

— Pronto — respondo, segurando o cabo da espada.

Nós nos posicionamos como se fôssemos correr uma prova de atletismo, fazemos a contagem regressiva e disparamos em direção ao dragão. O monstro tenta acertar a gente com seu sopro de fogo, mas desviamos. Paramos ao lado das patas dianteiras do dragão e as acertamos com a espada, em sincronia perfeita. O bicho dá um urro que parece uma mistura de dor e raiva.

— Está funcionando, Rezende!

— Vamos! Agora as patas traseiras!

Corremos para perto das patas traseiras, então nos agachamos e deslizamos sob as asas feridas para acertá-las. Sucesso! Sem conseguir caminhar ou voar direito, o monstro fraqueja; escalamos as costas dele e vamos em direção à cabeça. Olho para Rezende, que me encara de volta. É como se eu estivesse me olhando em um espelho. Um espelho vivo, falante, móvel e que me entende.

— Sincronia perfeita — diz Gulov, em suas vestes azuladas, fantasmagóricas e flutuantes. — Como se fossem um só.

Neste momento, sinto que não preciso mais dizer ao Rezende o que fazer, combinar planos e estratégias no grito, nem nada do tipo. E o melhor de tudo é que tenho certeza de que ele pensa, sente e faz o mesmo que eu.

Ainda em sincronia, acertamos golpes no dragão, até que seus olhos perdem o brilho para sempre. Seu último sopro de fogo será apenas a memória de uma era em que o desespero dominava este mundo.

O tormento acaba aqui. Esta será a lenda do Herói Duplo.

CAPÍTULO 14

Nos filmes de guerra que passam na TV, os heróis voltam para casa todo zoados, com a roupa rasgada, mancando ou de muletas, mas são recebidos por uma multidão em festa, ou chegam e encontram a mãe, o cachorrinho, os filhos ou até uma gatinha da hora. Só que, depois de mandarmos o dragão desta para melhor — eu preferia que fosse para pior! —, voltamos ao vilarejo e não encontramos absolutamente ninguém. Nem uma alma para nos receber. Cadê as faixas? Cadê o churrasco? Eu estava morrendo de vontade de comer uma carne de porco! Mesmo cansado, faço uma fogueira com as pedras quadradas que ganhamos antes de partir para a luta. Com sorte, se procurarmos bem na mochila, acho que vamos encontrar os pedaços de carne do açougueiro. Como ninguém está tocando aquele churrascão maneiro, acho que a refeição vai ter que ficar por nossa conta.

— Rezende... o que está acontecendo aqui? Cadê todo mundo?

— Pedro, se você está espantado, imagina eu. Olha ali: a farmácia do apotecário mudou de lugar. A taverna está onde ficava o açougue, e aquela casinha amarela ali... ficava lá do outro lado. — Rezende aponta com um olhar preocupado.

Olho ao redor. Mesmo tendo passado tão pouco tempo ali, já me sinto de casa. Conheço cada pixel da aldeia, cada casa, cada canto. E começo a notar que, realmente, certas coisas estão fora de lugar. No meu jogo, a taverna jamais ficaria ao lado da casa da vovó dos gatos. Como ela dormiria com tanto barulho? A garçonete é legal e, cá entre nós, bem bonita, mas fala meio alto. Percebi que, bem diante dos meus olhos, o universo que criei foi completamente mudado.

— Rezende... Será que a gente alterou o espaço-tempo deste mundo quando derrotamos o dragão? Será que caímos em um buraco negro quadrado? Será que... — Estou cheio de perguntas, eu sei!

— Duvido que o dragão tenha conseguido influenciar nosso universo. Ele não teve tempo para isso nem tinha poderes para alterar o vilarejo. A única pessoa que pode fazer isso...

— Sou eu! — concluo, como se estivesse matando uma charada. E realmente estou. Será que estou mesmo?

— Mas se você está aqui... — comenta Rezende.

— Quem foi que mexeu na aldeia? — completo, encafifado.

Caminhamos pela rua, ainda mortos de cansaço, fome e sede. Apesar de ter feito a fogueira, a carne de porco já tinha estragado e o açougue está fechado! Ninguém aparece na rua, gente, que nervoso! Nem a versão fantasma do Gulov, quanto mais o de verdade! Cadê o velhote?

— Talvez, só talvez, a chave do mistério esteja no laboratório do velho sábio — comenta Rezende, agora sentado no meio da rua. — Acho que a gente precisa ir lá. Ele deve saber por que todas as casas estão fora do lugar. E, se o Gulov não estiver lá, aí, sim, estamos ferrados. Porque, além de a gente não saber o que está acontecendo aqui, não vamos saber o paradeiro de todo mundo. Mais um quebra-cabeça para resolver, Pedro...

Agora que me tornei um guerreiro de verdade, pelo menos no mundo virtual, percebo que jogar o dia inteiro cansa. É sério! Só de pensar em caminhar até o laboratório do Gulov me dá uma preguiça... Será que se eu passar rapidinho na farmácia consigo um remédio para essa dor nas costas? Dã, é claro que a farmácia está fechada. É feriado no vilarejo e ninguém contou pra gente?

Rezende respira fundo e se levanta. Precisamos correr até o laboratório do Gulov para descobrir o quanto antes que diabos está acontecendo.

— O pior já passou, Pedro. Se a gente conseguiu derrotar o dragão juntos... podemos superar qualquer coisa. Você se lembra do nosso treinamento? — pergunta Rezende, tentando me animar.

— Ô! Se lembro! De vovô, o Gulov só tem a cara, não é? Ele é sinistro... Mais exigente do que qualquer professor que eu já tive. E olha que foram vários — comento, lembrando a galera do colégio.

— Mas ele tinha que ser rigoroso. Se o nosso treinamento não tivesse sido perfeito, nos mínimos detalhes, nós não teríamos derrotado o dragão — afirma meu parceiro.

— É verdade. Não seríamos o Herói Duplo! — Apesar da dor nas costas, dou uma risada, e Rezende me acompanha.

— Foi puxado! Pensei que fosse perder todos os meus coraçõezinhos, mas tem sido uma boa jornada, não é, cara? — pergunta Rezende, ainda sorrindo.

— É verdade, brother. No começo eu estava um pouco assustado, mas conhecer você, o Gulov, esse vilarejo e ainda poder ajudar a salvar este universo, foi uma das coisas mais legais que já me aconteceu. Graças a vocês, eu me senti um herói de verdade. Um guerreiro melhor do que eu imaginava! — respondo, lembrando o recado que encontrei lá no início. Tinha razão, o que vale é a jornada!

— E o Puppy salvou a gente! — exclamamos juntos. — É verdade! Ele é demais — dizemos ao mesmo tempo outra vez.

Quase saio correndo à procura de algum objeto verde para tocar e dar sorte para nós dois. Aí lembro que aqui eles não conhecem essa brincadeira.

Não consigo segurar a gargalhada e até caio no chão de tanto rir. Apesar dos perrengues, acho que essa foi a grande aventura da minha vida, maior que qualquer história que eu tenha criado para os vídeos. E o mais engraçado de tudo é que não vou poder contar para ninguém! Não precisa ser muito esperto para imaginar que, se eu sair falando que fiquei quadrado e entrei de verdade no universo do jogo, vão me jogar no hospício. Melhor guardar segredo.

Depois da minha crise de riso, Rezende me estende a mão.

— Herói Duplo para sempre?

— Herói Duplo para sempre! — Retribuo o aperto de mão com força.

Caramba! O que está acontecendo? No segundo em que eu e Rezende apertamos as mãos, uma luz super-hiperforte toma conta de tudo. Não consigo enxergar mais nada!

— Rezende! O que está acontecendo, cara? — pergunto, ainda segurando a mão dele.

— Pedro... A sua mão!

Olho para baixo e noto cada quadradinho desaparecendo na luz... É como se eu estivesse me desintegrando! É isso! Eu estou virando... luz?

— Pedro, acho que você está voltando para o portal! A magia do Gulov tem prazo de validade. Lembra que ele falou que o tempo aqui corre diferente? Aqui se passaram dias, mas no seu mundo só deve ter se passado uma noite! Por isso essa luz, só pode ser! — explica Rezende. Ele, sim, é um grande decifrador de enigmas.

Meus pés não existem mais. Eu realmente espero que seja isso, que eu esteja voltando para casa... Não quero morrer no mundo virtual, nem no real!

— Pedro, você não pode ir embora sem isso. — Rezende leva a outra mão à mochila. Num movimento rápido, sem me soltar, ele pega o medalhão estiloso. — Agora você precisa soltar a minha mão, cara. Leve essa lembrança com você e nunca se esqueça de nós e de tudo que fez pelo vilarejo!

Minhas pernas desaparecem na luz. Não quero ir embora sem me despedir do Gulov, do apotecário, da menininha, da vovó dos gatinhos, do Barão... Agora eles fazem parte da minha vida. Depois de tanto perrengue para salvar este universo e derrotar um dragão enorme, não é justo ter que ir embora assim!

— Eu sei que você não queria partir desta forma, Pedro, mas você precisa! E eu não posso ir com você, cara. Solta a minha mão e segura o medalhão. A magia vai cuidar do resto. Foi uma honra conhecer você. Quando eu encontrar todo mundo, pode ter certeza de que todos vão saber que você é um verdadeiro herói! — garante Rezende.

Finalmente solto a mão do meu parceiro de aventuras, pego o medalhão e jogo minha mochila para ele — afinal, a menininha do vilarejo precisa saber que a Boneca Sem Nome também é uma guerreira!

Antes de sentir meu corpo desaparecer na luz, consigo dizer duas sinceras palavras:

— Obrigado, amigo!

E, por fim, a luz cobre todas as casas e todo o vilarejo.

CAPÍTULO 15

— Força! Levanta! Gira! Ataca!

Odeio acordar no susto. Acordar no susto e falando sozinho, então... Mas e que tal acordar no susto, falando sozinho, e com uma luz forte quase cegante? Quem abriu a cortina? O que estou fazendo aqui, na cama? E esse medalhão irado na minha mão? E esse ombro dolorido? Pera, pera, pera. Preciso pensar.

Não foi um sonho. Definitivamente não foi um sonho. Foi tudo real: o medalhão está aqui para provar. Eu, o RezendeEvil real, encontrei o RezendeEvil virtual. Nós treinamos e lutamos juntos, cumprimos a profecia e salvamos o vilarejo do dragão sinistro. Eu sempre odiei as séries de TV que acabam do nada e todo mundo comenta: "Ah, foi tudo coisa da imaginação do personagem, foi um sonho." Tudo bem, eu sei que a minha imaginação é um pouco... exagerada. Mas não neste caso. Tudo que aconteceu no tempo em que passei no universo do jogo — que realmente durou apenas uma noite no mundo real, do jeito que o Rezende falou — foi de verdade.

É até melhor olhar com calma: da última vez que me vi, eu era... quadrado! E estava desaparecendo na luz. Um, dois, três, quatro, cinco, seis, sete, oito, nove, dez: ufa, todos os dedos estão aqui, e redondos! Meu rosto... não está mais quadrado. Acho que já posso me levantar sem medo de dar um susto nos meus pais e no João. Imagina a cena: eu saio do quarto, amarradão, e dou de cara com o meu pai.

— *Meu filho! Você está meio... quadradão hoje.*

— *Que isso, pai! Eu não sou das antigas que nem você!*

— *Não, Pedro. Eu estou falando do seu formato mesmo.*

— *Aaaaah! Socorro!*

Não. Com certeza não seria nada legal.

Já de volta ao meu formato normal, sinto que posso sair do quarto para ver o que está acontecendo no mundo, o que aconteceu durante a minha ausência. O que aconteceu… no jogo! Caramba, o que aconteceu no jogo? Será que eu apareci nele? Devia ter replay, isso sim! Imagina uma câmera tira-teima, que nem no futebol. Ia ser irado!

Deixo a dor no corpo pra lá, levanto num pulo e corro para a antiga biblioteca.

E quem eu encontro sentado na minha cadeira, usando o meu computador, jogando o meu jogo?

— João! Não acredito! Sai daí, sai daí agora! Quem falou que você podia mexer nas minhas coisas? Você vai levar um pescotapa! Ah, se vai!

E não é que o moleque consegue escapar e ainda me joga um copo d'água bem na cara? Ele vai se ver comigo!

— Perdeu, perdeu! — grita ele pelo corredor, acordando nossos pais, que estranham a barulheira a esta hora da manhã.

— Pedro, João! Eu não quero ouvir nem mais um pio! — reclama minha mãe, do quarto.

— A culpa foi dele, mãe! — Curiosamente, João e eu gritamos a mesma coisa, ao mesmo tempo. Eu, da sala de games, e ele da cozinha.

Peraí, foco, Rezende: o que eu estava fazendo antes de o João me interromper? Sim, óbvio. Vim ver o jogo!

Sento na cadeira, e é como se estivesse revivendo tudo. O vilarejo, a taverna, a casa da vovó dos gatos, a farmácia do apotecário, o açougue: está tudo fora do lugar, como quando eu fui engolido pela luz. Calma, Rezende, pensa: as casas estavam fora da ordem original. Bom, isso não foi culpa do dragão. Além do mais, o Rezende virtual disse que só eu posso mudar a cidade. E agora entro aqui e encontro o João sentado na frente do computador...

É isso! O João mudou as casas de lugar enquanto o Rezende virtual e eu estávamos na missão. Que moleque pentelho! Bom, pelo menos ele não viu os dois Rezendes em ação, já que, enquanto ele mexia no vilarejo, nós estávamos enfrentando o dragão, em um ponto bem distante do mapa.

E o que eu estou vendo agora, amigo, diante dos meus olhos, é inacreditável. Calma, eu juro que não é igual a esses sites bestas que dizem "Esse cara expulsou o irmão da frente do computador, e o que aconteceu depois vai deixar você de queixo caído!", mas quando você clica não tem nada de mais.

O jogo está rodando.

O jogo está rodando sozinho.

Não estou mexendo no teclado nem no mouse, e o jogo está rodando sozinho.

Ai, meu Deus do céu! Mas por que eu estou tão espantado? Parece até que eu não passei a noite toda em um universo paralelo lutando contra um dragão! Eu já deveria ter aprendido que, em se tratando desse jogo, tudo pode acontecer!

A tela segue em direção ao lago e para na entrada do laboratório do Gulov. Rezende e Gulov estão ali!

De repente, João entra no quarto, já pronto para ir à escola, e eu quase voo longe de susto.

— Ô, Pedro, eu dei uma ajustada aí no jogo, tá? As suas casas não estavam organizadas por ordem de tamanho, mas eu juro que só mexi nelas, não mexi em mais nada.

De supetão, e com medo de ele ver o jogo rodando sozinho, desligo o monitor. Então percebo que não tem tanto motivo para ficar bravo com meu irmão. No fundo, ele só quis me ajudar (apesar de ter sido uma bela trollada!). Pena que não posso contar como fiquei perdidinho no vilarejo com as construções fora do lugar original.

— Está tudo bem, moleque. Agora corre pra aula, porque você já está atrasado! Passar a noite jogando não é para os fracos! — respondo, dando um soquinho de leve no ombro dele.

Quando o João vai embora, penso que é melhor fechar a porta. Volto a ligar o monitor, e o jogo continua rodando sozinho. Mas não vejo apenas o Gulov e o Rezende. Já dentro do laboratório, vejo todos os moradores da aldeia em festa: o apotecário, o Barão, a garçonete da taverna, o açougueiro, o padeiro e até a vovó, com um gatinho castanho no colo! Vejo também a menininha simpática ao lado da mãe — consigo distinguir, nas mãos da garotinha, a Boneca Sem Nome, que agora tem no pescoço a pulseira da aventureira Marina, como se fosse um colar, do jeito que eu deixei. E percebo também que a boneca está vestindo um casaquinho de tricô com o nome Marina Rezende bordado, provavelmente pela vovó. A boneca finalmente ganhou um nome! Fico feliz em ver que o Rezende virtual conseguiu devolver a boneca à menininha.

É uma verdadeira festa, e mesmo longe eu me sinto parte dela. É muito louco saber que tenho amigos em um universo diferente do meu, mas ligado ao meu jogo preferido! Não consigo falar, mas aceno — vai que a webcam transmite para o laboratório do Gulov, não é? Esse Gandalfinho quadrado é cheio de artimanhas!

No alto da tela, vejo uma faixa em letras quadradas, é claro: "Pedro, obrigado por acreditar! Nós nos vemos em breve!".

Mal posso esperar por mais aventuras, amigos! Mas posso falar a verdade? Tomara que da próxima não tenha dragões tensos no esquema!

EPÍLOGO

Ah, o domingo! Tem gente que diz que a semana começa segunda-feira, mas não sou desses, não. Melhor dar o pontapé inicial da semana com um dia relaxante do que achar que tudo começa na segunda, com aquela correria de estudar ou trabalhar.

Marquei de jogar bola hoje com os meus amigos, antes de almoçar e começar minhas transmissões do dia, e não vou deixar a galera na mão na hora de escalar os times.

Acordo um pouquinho mais tarde do que o normal e vou ao banheiro tomar uma chuveirada antes de sair de casa.

Enquanto tiro o xampu, ouço algo estranho vindo de outro lugar da casa...

— Eu sou apenas um de muitos...

Hum, que voz mais trevosa! Deve ser de algum vídeo no computador.

Saio do banho, começo a me enxugar, quando de repente...

— Tantos mundos diferentes... nos veremos de novo...

Essa voz é tão familiar, tão... Não. NÃO.

Não é possível. Não acredito.

Corro para o escritório, que é de onde o som está vindo. Quando abro a porta, vejo meu irmão mexendo no computador e vendo um vídeo. Ah, ufa! Isso me deixa muito aliviado.

— Ah, João, você é mesmo um trollzinho, hein? Acha que me assusta com essas suas pegadinhas, é?

Meu irmão se vira para mim.

— Do que você está falando, mano?

— Ah, esse vídeo que você está vendo. Foi você quem fez, não é? Quem gravou essa fala com a voz sinistra?

— Hein? Como é que é? — Meu irmão está claramente confuso. — Eu não fiz nada, não, Pedro. Um amigo da escola me mandou o link desse vídeo, e eu achei legal, só isso. Eu ia te mostrar. Você é maluco por esse jogo...

— Mas e essa fala com a voz macabra? Quem dublou?

— "Fala"? — repete João, surpreso. — Como se desse pra entender alguma coisa que essa voz esquisita diz!

— Ué, João, você não entendeu? É um papo de "mundos diferentes", "nos veremos de novo"...

— Hããããã? De onde você tirou isso, mano? É só um monte de palavras emboladas, nem parece língua de gente — diz João, já um pouco nervoso. — Você está bem? Ou está tentando me trollar de novo? Só porque eu sou mais novo...

— Não, é *você* quem está tentando me confundir!

Enquanto o vídeo roda em loop no monitor, começamos a discutir cada vez mais alto, e nossos pais chegam à porta da biblioteca.

— Ei, ei! Garotos! Vamos parar com essa gritaria aí! — ordena meu pai.

— É, gente! É domingo. Vão aproveitar o dia longe do computador, um pouquinho que seja! — completa minha mãe. — Vocês ficam vendo esses vídeos...

— Isso! Abaixem esse volume! Até porque não dá pra entender nada. Que língua é essa?

Meu irmão me olha com um sorrisinho de "eu te disse".

Quando vou responder que o vídeo está em português — como eles conseguiram *não* entender, caramba? —, paro, penso e, surpreso, percebo o que realmente está acontecendo.

Eu sou apenas um de muitos.
Tantos mundos diferentes...
Nós nos veremos de novo.

E concluo que aqueles três *nunca* vão entender aquele idioma ancestral.

AGRADECIMENTOS

Ao meu pai, Marcos, a minha inspiração para tudo que faço e até mesmo para o que ainda vou fazer — sem ele, com certeza este livro seria apenas uma ideia!

À minha mãe, Joelma, que sempre me apoia e sempre está comigo em todas as decisões — a melhor mãe do mundo. <3

Aos meus irmãos: João, por ser o melhor irmão de todos, sempre me ajudando com o canal; e Gabriel, por ter acreditado em mim quando eu era criança ainda e queria ser jogador de futebol... Acabei não sendo, mas consegui muitas outras coisas! Obrigado por ter acreditado em mim, e sinto muita saudade de você todos os dias.

E ao meu amigo e empresário Gustavo Teles, que me ajuda a profissionalizar todas as ideias que tenho, um muito obrigado!

1ª EDIÇÃO [2015] 8 reimpressões

ESTA OBRA FOI COMPOSTA EM ADOBE GARAMOND PELA ABREU'S SYSTEM E
IMPRESSA EM OFSETE PELA LIS GRÁFICA SOBRE PAPEL PÓLEN BOLD DA SUZANO
PAPEL E CELULOSE PARA A EDITORA SCHWARCZ EM OUTUBRO DE 2016

A marca FSC® é a garantia de que a madeira utilizada na fabricação do papel deste livro provém de florestas que foram gerenciadas de maneira ambientalmente correta, socialmente justa e economicamente viável, além de outras fontes de origem controlada.